Le petit Bacchus

Guide de l'amateur
de vin

Thomas Morel

City

© **City Editions 2012**

ISBN : 978-2-8246-0190-8
Code Hachette : 50 9655 7

Rayon : vin
Collection dirigée par Christian English & Frédéric Thibaud.

Catalogue et manuscrits : www.city-editions.com

Dépôt légal : deuxième trimestre 2012
Imprimé dans la C.E.E

Sommaire

Mise en bouche

*P*lus vieille boisson fabriquée par la main de l'homme, le vin est aussi populaire qu'élitiste. Boisson la plus célèbre de France, qui a fait la renommée de notre patrimoine gastronomique, le vin présente bien des facettes fascinantes. D'un cépage, d'un terroir, d'une région, d'une couleur à l'autre, le monde du vin est un kaléidoscope recelant des secrets accessibles aux seuls initiés.

Pour vous aider tout au long de votre initiation, ce guide de l'amateur de vin présente tous les types de vin, ainsi que les plus importants cépages français et étrangers. Les meilleurs crus sont également mis à l'honneur, tout comme les procédés de fabrication, l'art délicat de la dégustation et du service, ainsi que l'histoire, et la littérature que le vin a fortement inspirée.

Vous aurez ainsi toutes les clés à votre disposition pour connaître les plus grands vins, pour savoir lequel choisir, au restaurant ou dans le commerce, et comment accorder un plat et un cru. Le vin n'aura plus de secret pour vous !

Des vins pour
tous les goûts

$\mathcal{S}$i le raisin en est l'ingrédient essentiel, il entre aussi dans la fabrication du vin de nombreuses étapes et un grand savoir-faire avant d'arriver à produire des crus au goût des amateurs les plus fins. La première vinification dont on retrouve la trace archéologique remonte à plus de 7000 ans, dans la région de Zagros, en Iran. La simplicité du procédé à mettre en œuvre pour fabriquer du vin en a rapidement fait la popularité dans tout le monde antique : il suffit en effet de ramasser le raisin, de le presser pour en extraire le jus et de le laisser fermenter pour obtenir une boisson alcoolisée, dont les attributs varient en fonction de la teneur en sucre du raisin, de sa qualité, de sa maturité, etc.

La fermentation représente le travail des levures présentes à l'état naturel dans les grappes pour transformer le sucre des fruits en alcool. Les producteurs de vin peuvent choisir entre différents types de récipients (en acier ou en bois), changer les températures, accélérer ou ralentir la fermentation, jouer sur le processus de maturation qui la suit pour faire évoluer la qualité du vin.

Il existe deux grandes familles de vin : le vin blanc et le vin rouge, même si on a pu en compter cinq, par exemple, dans le monde romain. Enfin, les viticulteurs disposent de différents moyens pour améliorer le goût de leur production : ils peuvent ajouter au vin du dioxyde de soufre, qui joue le rôle d'antibactérien et d'antioxydant, et lui permet de se conserver plus longuement. Son ajout est cependant réglementé, pour ne pas favoriser de possibles effets secondaires sur les consommateurs ou éviter de dénaturer le goût du vin lui-même.

Le vin est obtenu à partir des cépages, qui sont les types de raisin, utilisés seuls ou en assemblage, c'est-à-dire en mélangeant différents cépages entre eux. Toute la science du producteur de vin consiste à tirer de ces cépages le meilleur de leurs arômes en fonction des terroirs sur lesquels ils sont cultivés.

La personnalité marquée du rouge

*L*e vin rouge ne peut être fabriqué qu'à partir du raisin de la même couleur. Pendant sa fabrication, on laisse le moût du raisin (son jus en train de fermenter) en contact avec les matières solides de la vendange, principalement les peaux de raisin, qui sont très riches en substances colorantes, en matière azotée et en tanins. Les tanins sont des métabolites des plantes, présentes en quantité dans la peau du raisin, qu'elles utilisent comme protection contre certains parasites et qui restent en suspension dans le jus, puis le vin. Les tanins ont une grande importance dans la consistance de du vin par la suite. Ils évoluent avec le temps, ce qui peut leur donner une plus ou moins forte présence en fonction du vieillissement du vin. Le vin rouge a donc un taux de tanin bien plus élevé que le vin blanc. Ce sont les tanins qui donnent sa charpente au vin rouge, ainsi qu'une

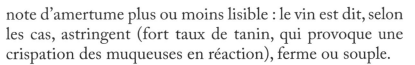

note d'amertume plus ou moins lisible : le vin est dit, selon les cas, astringent (fort taux de tanin, qui provoque une crispation des muqueuses en réaction), ferme ou souple.

Les bordeaux sont par exemple des vins à la forte personnalité pour lesquels l'astringence est recherchée. Le tanin influence en fait la vie du vin dans votre bouche et la manière dont il va s'imprimer et perdurer dans vos sensations. La cuvaison a une grande importance pour le vin rouge : elle détermine le taux d'alcool, la coloration et le taux de tanin. Il faut également éviter le plus possible le contact du moût avec l'oxygène, lequel peut entraîner une oxydation pendant la fermentation (qui dégage naturellement du gaz carbonique).

Ensuite, il y a le décuvage, c'est-à-dire l'étape consistant à faire couler le liquide en le pressant hors de la cuve, dans laquelle restent les matières solides, permet d'obtenir le vin proprement dit.

L'acidité et
les arômes du blanc

*L*e nom même de vin blanc peut provoquer la surprise du néophyte : en effet, le vin blanc présente une palette de couleurs allant du jaune très pâle au vert presque sans mélange, mais c'est sans doute pour le différencier du vin rouge qu'on l'a nommé ainsi. Cela caractérise en fait son « absence » relative de couleur par rapport à son cousin tannique. Pour fabriquer du vin blanc, on peut soit utiliser un raisin blanc (qui peut être vert ou jaune, tant qu'il ne contient pas de colorants rouges), ou bien ôter la peau des raisins rouges ou noirs, qui est l'élément colorant du corps du fruit. Cette deuxième possibilité est plus rare que la première, mais elle est utilisée pour produire les vins de champagne, sur lesquels nous allons revenir.

Il est très important, plus encore que pour le vin rouge, de maîtriser la température à l'intérieur de la cuve lors de la fermentation du vin blanc. Elle doit osciller entre 18 et 20 °C, et sa fermentation variant entre une semaine et un mois selon le type de vin.

On dénombre plusieurs types de vins blancs, qui se divisent en trois catégories principales : le vin blanc sec est le plus courant, ne présente pas de goût sucré, et regroupe la majorité des vins italiens et les vins français les plus prestigieux, comme le sancerre ou le chablis ; le vin blanc demi-sec est une version altérée du vin blanc sec, qui présente un taux de sucre plus élevé, et il est l'étape inter-médiaire avant le vin blanc moelleux ou liquoreux (entre 30 et 50 grammes de sucre par litre, le vin sera dit moelleux, au-delà, il sera liquoreux) ; les vins blancs liquoreux comme les sauternes sont également très réputés. Le taux de sucre élevé est obtenu en arrêtant avant la fin le processus de fermentation, ce qui empêche la transformation du sucre résiduel en alcool. On note aussi dans cette catégorie les vins effervescents qui sont tous des vins blancs. Ils rassemblent les vins mousseux et les champagnes, qui sont obtenus grâce à différentes méthodes.

Le vin blanc est souvent considéré comme une boisson apéritive, c'est-à-dire qu'il peut se consommer en dehors des repas. Il se sert plus frais que son homologue rouge, sans être glacé. On le caractérise principalement par son acidité, qui n'est pas masquée, comme le vin rouge se caractérise par la présence des tanins. Le vin blanc a connu un nouvel essor dans les pays néo-viticoles comme les Amériques ou les pays de l'hémisphère Sud, en raison d'une tendance parmi les cultivateurs de ces régions à exprimer plus volontiers ses notes fruitées naturelles.

La fraîcheur
du rosé

*B*ien que rattaché à la famille des vins rouges, le rosé se rapproche en réalité du blanc. Fabriqué à partir de raisin rouge, il est laissé peu de temps (quelques heures là où les vins rouges macèrent des jours, voire des semaines) en contact avec la peau des grains, juste assez pour lui donner sa couleur. Le rosé présente donc aussi peu de tanins que le blanc. Ce vin s'est popularisé en raison de ses vertus apéritives, de sa fraîcheur et de son goût plus abordable pour les néophytes que celui du rouge, qui nécessite d'être apprivoisé. Pour cette raison, il suscite généralement le mépris des connaisseurs, qui le considèrent comme une entorse insupportable à la tradition, une forme amoindrie du divin nectar. Ils accusent également les viticulteurs de réserver leurs plus mauvaises récoltes à l'obtention du rosé pour lequel les critères de goût sont moins radicaux.

Cela dit, le crime pourrait s'avérer bien pire si la législation sur le vin en Europe s'assouplit encore, comme il en a été question, pour que l'on puisse « fabriquer » du rosé en coupant le vin rouge et le vin blanc, ou en les mélangeant entre eux...

Cependant, le rosé représente à la fois certainement le premier vin à avoir vu le jour historiquement, de par le défaut de maîtrise technique de nos ancêtres, et un challenge technique aussi âpre et difficile que les autres variétés pour les producteurs qui s'y consacrent avec sérieux. En fait, l'obtention de la couleur n'est pas le seul objectif de la première étape de macération, où le jus est laissé en présence des parties solides de la récolte : il s'agit également d'acquérir certaines qualités du vin rouge, comme sa rondeur (plus perceptible que celle du vin blanc, marqué par son acidité) et l'expression de certaines notes aromatiques, qui se trouvent dans la peau du raisin, ou de celles, caractéristiques, de fruits rouges.

Les vins à bulles, pour les grandes occasions

*L*e plus célèbre des vins à bulles n'a pas besoin d'être présenté : tout le monde connaît le champagne. Depuis longtemps symbole tout à la fois de fête et de réussite, utilisé pour marquer les grands événements, les accomplissements et les occasions spéciales, il a gagné en valeur emblématique ce qu'il a perdu en spécificité : peu de gens aujourd'hui sont capables d'apprécier le champagne. On le connaît simplement parce que son caractère gazeux le rend traître et fait monter plus vite l'alcool à la tête.

Cependant, il existe plusieurs types de vins à bulles, auxquels on oppose les vins de table ou vins tranquilles. Ainsi du mousseux, ou du crémant, qui ne sont absolu-

17

ment pas de piètres doublures du champagne. Le vin à bulles s'obtient par plusieurs méthodes : la plus connue, que l'on appelle méthode traditionnelle, consiste à d'abord obtenir un vin tranquille, comme on ferait un rouge ou un blanc, que l'on élève en fût un certain temps. Puis on pratique une deuxième fermentation, en bouteille, en lui ajoutant du sucre et des levures (la liqueur de dosage), qui vont être à l'origine des bulles proprement dites.

Le gaz dégagé lors de cette nouvelle fermentation reste piégé dans la bouteille. Ce processus entraîne la formation d'un dépôt de lie (les levures de la deuxième fermentation, arrivées en fin de vie) au fond des bouteilles, mais, depuis le dix-neuvième siècle, on contre les effets de ce dépôt en remuant les bouteilles chaque jour pour l'isoler, puis l'ôter juste avant commercialisation en gelant le goulot de chaque bouteille.

D'autres méthodes consistent à encourager la fermentation spontanée en mettant le vin en bouteilles de manière anticipée ou en utilisant des cuves sous pression pour se débarrasser des dépôts.

Le vin primeur, pour les impatients

*L*e vin primeur est celui qui est tiré des toutes premières récoltes, pendant la vendange elle-même. Sa tradition remonte à l'Antiquité. Les Romains avaient coutume de le fabriquer avec les raisins les plus précoces. On l'appelait *vineum preliganeum*. Du fait d'être pressé à partir de raisin encore vert, il était très acide et tenait a priori de la piquette, mais il valait aussi comme symbole du vin nouveau et présidait à la fête d'une récolte réussie. Les Grecs faisaient d'ailleurs de même, pendant les anthestéries, fêtes consacrées à Dionysos, pendant lesquelles les débordements orgiaques servaient à célébrer la fin de l'année. Il faut dire aussi que les anciens ne savaient pas comment conserver le vin et devaient nécessairement le consommer jeune.

Le vin primeur n'est donc pas réputé, en général, pour son goût ou sa qualité. Cependant, les réjouissances qui lui sont associées ont permis l'essor du cru le plus connu du Beaujolais, le beaujolais nouveau, qui occasionne chaque année très précocement une fête pour célébrer les vendanges nouvelles.

Cette fête est née dans le courant du vingtième siècle, d'abord lorsque les journalistes du *Canard enchaîné* sont tombés sous le charme de cette région, ensuite quand, pendant la Deuxième Guerre mondiale, les pénuries dans la région lyonnaise ont permis à ce vin de se faire connaître. C'est par la suite une véritable campagne publicitaire organisée de main de maître qui a permis de remettre au goût du jour une lointaine évocation des libations de l'Antiquité. Cependant, après avoir connu une croissance formidable jusqu'au milieu des années 2000, le beaujolais nouveau marque désormais le pas, dépendant par trop de la fête à laquelle il se retrouve associé : si elle connaît une certaine désaffection, c'est toute sa production qui fait grise mine.

Les vins tanniques et les vins corsés, pour les amateurs de sensations fortes

*L*es vins tanniques sont majoritairement les vins rouges, du fait des matières que l'on y retrouve en suspension après sa macération en présence des peaux du raisin. On les dit structurés, notamment parce que leur goût peut se déployer en plusieurs strates dans la bouche : c'est avec les vins tanniques que l'on peut détacher le plus précisément l'attaque (le contact du vin en bouche), le milieu de bouche (sa texture), la rétro-olfaction (les sensations qui restent une fois que l'on n'a plus le vin en bouche) et sa longueur (la persistance des arômes). Les vins rouges doivent être équilibrés pour pouvoir s'apprécier. Des tanins trop présents peuvent rendre le breuvage astringent (assécher la bouche), tandis que le manque de tanin peut donner naissance à un vin sans personnalité ou qui vieillira mal. Le tanin se dépose dans la bouche, laissant une sensation d'amertume caractéristique. En fonction de son taux, on peut classer les vins comme souples (peu de tanins, un vin qui peut être agréable, mais reste souvent secondaire), fermes (plus de tanins) ou astringents. Les vins tanniques accompagnent à merveille les plats de viande, notamment de bœuf ou autre viande rouge, et certains fromages. Constituant la majeure partie des vins de garde, les vins tanniques représentent les grands crus de nombreuses régions de France, au sein desquelles on peut citer la Bourgogne ou le Bordelais.

Les vins corsés sont assez peu présents en France. Souvent rouges, ils se différencient des vins tanniques par leur degré d'alcool élevé, obtenu en ajoutant du sucre pendant le processus de fermentation (pour qu'il continue de produire de l'alcool). Un sacrilège pour les vignerons français, qui considèrent qu'on dénature ainsi les arômes subtils exprimés naturellement par les vins rouges. Souvent plus en accord avec le goût du public contemporain, les vins corsés, comme le xérès ou le porto, peuvent être consommés seuls, en apéritif, mais accompagnent à ravir des plats épicés ou pimentés qui savent résister à leur tendance à s'imposer. Ils sont fabriqués principalement dans les pays du sud de l'Europe ou en Californie.

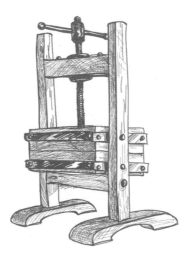

Les vins acides et les vins sucrés font valoir leurs arômes

*L*es vins acides sont bien souvent issus des cépages de sauvignon blanc ou de chardonnay[1]. Autant le vin rouge se définit par son tanin et son architecture, autant le blanc est descriptible par son acidité : c'est elle qui lui donne du corps en bouche. Elle donne de la vivacité à la saveur du vin, une certaine fraîcheur aussi, qui s'éteint ou s'écrase pour les vins qui n'en présentent pas un taux assez important.

On les classe en vins vifs, doux, plats et âpres en fonction de leur acidité décroissante. Les vins vifs donnent une impression de dureté. Ils sont en général issus de raisins jeunes. Les vins doux le sont souvent parce qu'ils sont plus riches en sucre ou issus de récoltes plus tardives. Les vins plats sont défavorisés par leur manque d'acidité, tandis que les vins âpres sont proprement imbuvables tant ils donnent l'impression de râper le palais. Les bons vins acides se marient idéalement avec les plats gras ou salés, dont ils rehaussent le goût.

Les vins sucrés sont liquoreux, et leur haute teneur en sucre leur permet d'exacerber leurs arômes avec beaucoup de douceur. Cette douceur s'efface cependant quelque peu quand ils accompagnent avec bonheur des plats salés ou des fromages. Les vins sucrés peuvent se boire en apéritif et en dehors des repas. Ils ne sont pas obtenus par l'ajout de sucre, mais par le recours à des vendanges très tardives et, donc, à un raisin pour cette raison gorgé de soleil et de jus.

---

1. Voir « Les différents cépages (France) ».

On obtient certains de ces vins en poussant même la croissance du raisin jusqu'à la pourriture. Sous certaines formes, elle est recherchée pour le goût particulier qu'elle peut donner au raisin et au vin qui en est issu.

Le vin bio, le retour au traditionnel

*P*our faire un vin biologique, il faut évidemment du raisin cultivé selon les critères propres à l'agriculture biologique. Il ne peut, par exemple, être fait usage de pesticides chimiques dans les vignes. Cependant, il existe des moyens naturels de protéger les vignes de la plupart de leurs parasites : ainsi, le dioxyde de soufre préserve de l'oïdium (également appelée maladie du blanc, elle est causée par un champignon et s'attaque aussi aux arbres) ; et le sulfate de cuivre lutte contre le mildiou (autre champignon redoutable, dont la vigne est le terrain de reproduction, qui apparaît dans les traces de certaines espèces de pucerons).

On connaît la bouillie bordelaise, ou la bouillie bourguignonne, décoctions contenant du cuivre, mises au point dès le dix-neuvième siècle dans les régions de vignes particulièrement touchées par le mildiou. L'Europe n'a pas encore fixé de normes concernant le processus de vinification en lui-même.

Le label ne correspond donc qu'à la manière dont le raisin est cultivé et ne caractérise pas le talent du vigneron. Cependant, il existe tout de même diverses procédures reconnues par les professionnels, et un arrêté de 2012 va combler le vide juridique en France.

L'absence de législation claire a cependant créé la confusion pour les consommateurs : en effet, les additifs et levures chimiques ne sont pas couverts par les textes au sein des étapes de fabrication du vin proprement dites, et ne sont donc pas interdits dans le vin biologique, de la même manière que le cuivre utilisé dans les bouillies pour lutter contre le mildiou s'ajoute à celui éventuellement déjà présent dans les sols, pour atteindre un niveau pouvant poser problème.

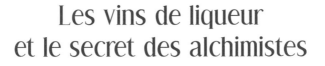

Les vins de liqueur et le secret des alchimistes

*É*galement appelés vins doux natu-rels, ou vins mutés, ils diffèrent des vins sucrés par leur processus de fabrication : ici, la fermentation est interrom-pue volontairement en ajoutant de l'alcool à même le vin pour conserver intacts les sucres résiduels. Les levures qui transforment le sucre en alcool sont tuées instantanément par l'al-cool ajouté. C'est le mutage. On doit ce procédé à Arnaud de Villeneuve, grand médecin et alchimiste du Moyen-Âge qui fit la célébrité de la faculté de médecine de Mont-pellier et eut pour patients papes et rois.

Il a également, au cours de ses recherches pour mettre au point la pierre philosophale, le Graal des alchimistes, découvert le moyen de distiller l'alcool, et il a identifié trois acides (sulfurique, muriatique et nitrique). Avant sa découverte, le vin doux était uniquement fabriqué à partir de raisin amené à surmaturité, pour qu'il soit le plus sucré possible et que les levures s'inhibent à partir d'une certaine teneur en alcool. Mais ce procédé était largement aléatoire et dépendait grandement des années de récolte.

Il existe trois sortes de vins de liqueur : les vins corsés en sont une catégorie possible. Ce sont ceux que l'on a laissés fermenter jusqu'au bout avant de leur ajouter une eau-de-vie. C'est le cas du xérès ou du madère.

Les vins doux naturels à proprement parler voient leur fermentation stoppée à son point d'orgue par de l'alcool pur. Ils donnent les portos, muscats, banyuls et rivesaltes.

Enfin, la dernière catégorie regroupe les vins dont on a arrêté la fermentation presque au début, tels le pineau des Charentes (ajout de cognac), ou le floc de Gascogne (ajout d'armagnac) ou encore le macvin du Jura (ajout de marc du Jura).

Le vin de glace ou les vertus des pays froids

Type de vin très particulier, il est cantonné à certaines régions viticoles bien spécifiques situées en Allemagne et en Autriche. Dans ces pays au climat froid, il arrive que pendant les récoltes les gelées précoces viennent s'abattre sur le raisin au moment de sa vendange. Pendant longtemps, le raisin ainsi touché fut considéré comme perdu. Or, peu avant le début du dix-neuvième siècle, des viticulteurs allemands eurent l'idée de presser ce raisin et obtinrent un vin qu'ils trouvèrent à leur goût et baptisèrent en toute logique *Eiswein* (« vin de glace », en allemand). Le Canada a copié le modèle des pays germaniques dans le courant des années 1970 pour produire son propre vin de glace, tandis que la production alsacienne de ce type de bouteilles reçoit le nom de cuvée spéciale.

La glace qui emprisonne le raisin fait geler son jus, qui commence une longue maturation au cours de laquelle l'eau gelée va être éliminée, concentrant le sucre à des taux inatteignables par ailleurs. Le vin de glace est cependant délicat à obtenir, si l'on se refuse à geler le raisin par des moyens artificiels : en effet, les conditions extrêmes sont aléatoires, et pour être sûr de récolter le raisin le plus froid, les viticulteurs attendent le plus longtemps possible.

La surmaturation fait perdre une partie non négligeable de la récolte. L'eau congelée est éliminée, diminuant radicalement le volume de moût. Enfin, le raisin gelé s'abîme extrêmement vite. S'il n'est pas vendangé en quelques heures, il est bon à jeter.

Il est pour cette raison impossible de consacrer de grandes surfaces au vin de glace. C'est pourquoi ses prix atteignent en général des sommets. Mais le résultat est là : grâce à sa haute concentration naturelle en sucre, le vin de glace est très riche, aromatique et d'une acidité exceptionnelle.

Le soin extrême dans la fabrication : le vin de paille

Le vin de paille tire son nom du passerillage qui sert à sa fabrication. Après la récolte, le raisin était conservé sur de grandes claies de paille. Aujourd'hui, la paille a été remplacée par de simples cagettes renversées. On y laisse le raisin de quelques jours à plusieurs mois à sécher au soleil : il se charge ainsi en sucre en perdant son eau. Pour cette opération, on trie sur le volet les plus belles grappes de la vendange, qui sont conservées en très petite quantité. Cette pratique remonte à l'Antiquité puisqu'on la rencontrait déjà sur l'île grecque de Thasos, qui produisait un vin si réputé qu'il était commercialisé à prix d'or tout autour de la Méditerranée.

La tradition a été reprise dans plusieurs régions de France, notamment dans le Jura. Le raisin y est ramassé à la main, séché, puis pressuré et fermenté selon des critères très précis de qualité. Tout le processus obéit à un artisanat qui est resté quasi identique à ce qu'il pouvait être dans les siècles passés. On n'en produit qu'une dizaine de milliers de bouteilles chaque année.

On l'appelle là-bas le « miel des muses » depuis le dix-huitième siècle. On peut faire sécher le raisin trois à cinq mois. Il est alors tellement déshydraté qu'il a un rendement de 20 litres de jus pour 100 kilos de raisin pressé, mais le jus contient jusqu'à 300 grammes de sucre par litre. Selon les terroirs, il développe des arômes très puissants d'épices, d'abricot ou d'orange et de fruits confits, de miel et de pruneau. Bien entendu, étant donné leur qualité, ces vins peuvent se garder pendant des années, voire des décennies sans aucun problème.

Une autre technique de fabrication, baptisée le passe-rillage sur souche, consiste à effeuiller la vigne pendant la croissance du raisin afin d'exposer le fruit de manière bien plus concentrée aux rayons du soleil. On retarde au maximum la vendange pour que le raisin soit gorgé de sucre.

Les vins de voile, et le voile du mystère

Le vin de voile fait référence à un procédé de fabrication assez rare, rendu possible par l'utilisation de barriques qui n'ont pas été ouillées. L'ouillage consiste à remplir les barriques très régulièrement pour qu'elles soient toujours à leur capacité maximum : en effet, l'évaporation, rendue possible par la porosité du bois (ce phénomène ne se produit pas avec les cuves en acier), amène la création d'une poche d'air dans la barrique. Or, cette poche, en laissant le vin entrer en contact avec de l'oxygène et en provoquant la piqûre acétique, pourrait s'avérer catastrophique. La piqûre représente la transformation du vin en vinaigre sous l'effet de bactéries présentes dans le vin qui ne s'activent qu'en présence d'oxygène.

C'est la catastrophe que craignent tous les vignerons. Tous, sauf ceux qui dans le Jura fabriquent le célèbre vin jaune à partir du cépage savagnin. En effet, dans les cuves utilisées dans cette région, vitrée sur un côté pour qu'on puisse surveiller le processus qui s'y déroule, des levures se dévoilent spontanément à la surface du vin, formant un voile qui le protège de la piqûre acétique.

C'est ce fameux voile protecteur qui donne son nom au vin et qui le protège pendant les six ans que dure sa maturation, au cours de laquelle il peut perdre jusqu'à 40 % de son volume par évaporation. Le vin jaune développe du fait de ce traitement unique des notes aromatiques très marquées de noix et de noisette, de cannelle, de pain d'épice ou de muscade.

Il est très long en bouche, très rond et onctueux. Le vin jaune est un vin de garde connu depuis la période romaine. Il se déguste avec tous les meilleurs plats de la cuisine franc-comtoise. Le xérès espagnol est fabriqué également de la même manière.

Le champagne, un luxe pluricentenaire

*L*e champagne, ou vin de Champagne, ne désigne pas, contrairement à son usage populaire, un vin mousseux parmi d'autres. Il fait référence à sa région d'origine et à l'appellation d'origine contrôlée qui veille à le défendre. Cependant, la production de cette région elle-même atteint plus de 300 millions de bouteilles par an, largement de quoi inonder littéralement toute la planète.

Il est élaboré à partir du pinot noir, du pinot meunier et du chardonnay, utilisant donc en partie des raisins noirs séparés de leurs peaux pour produire des vins blancs mousseux. Historiquement, la région de Champagne produisait des vins blancs tranquilles, c'est-à-dire sans bulles. C'est avec Dom Pérignon, moine de l'abbaye d'Hautvillers, que la fabrication du vin de Champagne va connaître une véritable révolution.

Il est d'abord le premier à s'essayer à l'assemblage des cépages qui étaient traités séparément auparavant, pour créer le mariage qui va caractériser par la suite le goût typique du champagne. Mais, plus important encore, c'est lui qui, en découvrant les vins effervescents de Limoux lors d'une visite en Languedoc, décide de se familiariser avec leur méthode de fabrication et de l'introduire en Champagne. À sa mort, au début du dix-huitième siècle, le champagne commence à se démocratiser en France. Les grandes familles du champagne commencent à se faire connaître : Florens-Louis Heidsieck, Claude Moët, Perrier-Jouët, Bollinger, Veuve-Cliquot, et d'autres encore.

31

Au vingtième siècle, le champagne connaît un succès grandissant dans le monde entier. Pour ses tenants, le bon champagne peut se déguster aussi bien pour les toasts lors des cérémonies qu'au cours des apéritifs ou même à table avec de nombreux plats.

Les vins mousseux
ont leur mot à dire

*I*ls appartiennent à la catégorie plus globale des vins effervescents, qui se divisent également entre les vins perlés et les vins pétillants. Ce classement caractérise leur teneur en gaz. Les vins perlés (muscadets et certains vins de Savoie) sont très légèrement effervescents. Les vins pétillants ont une teneur plus forte en gaz, mais tout de même inférieure à celle des vins mousseux.

Les vins de Champagne sont par exemple une forme de vins mousseux, mais, eux mis à part, de nombreuses régions de France produisent des vins gazeux, la majorité en emprisonnant du gaz carbonique dans la bouteille qui le contient lors d'un second processus de fermentation après obtention d'un vin tranquille grâce à l'ajout de sucre et de levures. On connaît par exemple la clairette de Die, qui rappelle la puissance passée de cette ville romaine située dans la Drôme ; la blanquette de Limoux, qui essaye de contester à la précédente le titre de vin mousseux le plus ancien du monde. C'est cette fameuse blanquette qui inspira à Dom Pérignon la transformation des vins de Champagne en vins mousseux. Son existence est mentionnée pour la première fois au cours du seizième siècle.

Le gaillac est la production du Sud-Ouest qui pourrait détrôner à la fois la blanquette et la clairette au rang de mousseux le plus vieux : production datant également du temps des Romains, le gaillac est lui aussi attesté pétillant dans le courant du seizième siècle. On trouve aussi parmi les vins mousseux célèbres les crémants, qui sont fabriqués en Alsace, en Bourgogne et dans la Loire.

Les vins mousseux sont capables d'exprimer des arômes complexes. Ils picotent et réveillent la bouche et le palais lorsque le gaz qu'ils contiennent s'y dissout. On les sert aussi bien en apéritif que pendant les repas, où, bien choisis, ils peuvent accompagner toutes sortes de plats.

Les eaux-de-vie :
élixirs de vie éternelle

*O*n les appelle ainsi parce que leur origine remonte au temps des alchimistes qui les mirent au point en tentant de créer un élixir de longue vie. On a longtemps continué à croire aux vertus médicinales de ces breuvages. Certes, elles pouvaient faire office d'antiseptique grâce à leur forte teneur en alcool, mais cela n'en faisait pas des médicaments pour autant. Jusqu'au début du vingtième siècle, on les a malheureusement utilisées pour soigner les malades et notamment les enfants qui ont souffert de graves conséquences physiques dues à cet usage.

Aujourd'hui, l'eau-de-vie est avant tout un plaisir, servi la plupart du temps en tant que digestif. Certaines, comme le kirsch, la vodka, le whisky ou le rhum, sont à base d'alcool distillé de fruits, de rhizomes ou de grains. D'autres sont à base de vin, comme l'armagnac, la plus ancienne des eaux-de-vie françaises, ou le cognac.

L'armagnac, qui nous vient du Sud-Ouest, a été produit dès le Moyen-Âge à partir de vin blanc sec. On a fêté les 700 ans de cette boisson à la magnifique robe or-rouge en 2010. Fort de ses 40 degrés d'alcool au minimum, l'armagnac est généralement réservé à la fin du repas : soit autour d'un dessert, car il est fort sucré, soit pour faciliter la digestion.

Le cognac vient quant à lui de Charente, où, durant la guerre de Cent Ans, un délicieux vin blanc était produit. La guerre compliquant le transport de vin « frais », on se mit à le distiller, car il se conservait mieux ainsi. Les Hollandais sont tout de suite tombés amoureux de ce breuvage qu'ils appelaient *brandwijn*, c'est-à-dire « vin brûlé », d'où le terme anglais *brandy*. C'est à partir du dix-huitième siècle que le cognac a pris la forme qu'on lui connaît aujourd'hui, fruit d'une double distillation.

Le vinaigre : l'autre vie du vin

Le vinaigre, étymologiquement « vin aigre », ne naît pas nécessairement dans le vin. Il peut en effet être obtenu à partir de n'importe quel liquide alcoolisé en y ajoutant une « mère de vinaigre », c'est-à-dire un voile bactérien qui, sous l'action de la fermentation, va acidifier le liquide. Ainsi, on peut trouver des vinaigres de cidre en France, d'alcool de riz en Asie, d'alcool d'ananas ou de noix de coco dans les pays tropicaux, etc.

Mais celui qui nous intéresse particulièrement ici, c'est l'incontournable vinaigre de vin. Les premières traces

écrites qui en témoignent remontent au temps des Romains. Le vin était alors transporté dans des amphores peu hermétiques. Lors des longs trajets, la chaleur aidant, les bactéries responsables de la fermentation acétique s'épanouissaient tranquillement.

Le résultat obtenu était du vinaigre, que les Romains coupaient à l'eau, adoucissaient parfois au jaune d'œuf et commercialisaient sous le nom de *Posca*. Cette boisson était considérée comme très rafraîchissante. Le vinaigre lui-même fut également utilisé en cuisine dès cette époque, car on s'aperçut vite qu'il permettait de conserver les aliments et qu'il avait, surtout marié à un corps gras comme l'huile d'olive, des arômes agréables.

La tradition du vinaigre s'est répandue dans tous les foyers qui produisaient leur propre vinaigre à partir de leurs restes d'alcool, du vin dans la plupart des régions de France. Ce geste a été élevé plus tard au rang d'art par les maîtres vinaigriers, buffetiers, sauciers et moutardiers d'Orléans, dont la corporation fut fondée dès le quatorzième siècle.

Aujourd'hui, le vinaigre de vin disponible dans le commerce est très varié : on trouve des qualités différentes, mais aussi des types de vinaigres divers, comme celui de Modène, qui ne vient en réalité pas de vin mais de jus de raisin, ou le très prisé vinaigre de xérès, obtenu à partir du vin du même nom.

Le terroir : ce que donne la terre au vin

*L*e terroir viticole désigne l'ensemble des parcelles de terre où est cultivé le raisin qui va être pressé pour obtenir du vin. Loin de se réduire à sa simple position géographique, il est étudié dans toute sa spécificité par les vignerons et cultivateurs, qui veulent en connaître tous les aspects pour les exploiter au mieux dans la culture de leurs vignes : topographie, géologie, composition des sols, caractéristiques hydrographiques, etc. Pour les critères de production envisagés, une déclivité plus ou moins prononcée, l'orientation relative d'un coteau par rapport à un autre, une exposition au vent légèrement différente, un changement subreptice dans la composition des sols peuvent faire la différence entre deux parcelles situées à moins de cent mètres d'écart.

Si les cépages ont leur importance, la terre qui les nourrit joue un rôle crucial pour leur donner leur expression : on connaît des cabernets qui n'expriment pas du tout les mêmes notes selon qu'ils sont cultivés en Gironde ou dans le Languedoc. Cette nécessité de connaître la terre et ses secrets n'a jamais échappé aux paysans qui, depuis l'Antiquité, ont accompli un patient travail afin d'identifier les meilleures conditions pour chaque cépage. Les moines bénédictins ont méticuleusement arpenté et divisé la Côte d'Or selon ses aptitudes agricoles et climatologiques.

Actuellement, les études en viennent à caractériser les microclimats s'exprimant sur quelques centaines de mètres carrés pour expliquer les différences de rendement ou de goût du raisin sur des terres semblables et proches. On recherche également la composition des sols, leur richesse en argiles ou en limons pour implanter des cépages dans des régions inédites. La conviction des professionnels du vin français, qui se démarquent plutôt volontairement de leurs camarades étrangers sur le sujet, est que le vin exprime la qualité de la terre qui l'a vu naître, quand le business préfère la version selon laquelle il existe un savoir-faire universel que l'on peut adapter n'importe où et qui permet de masquer le goût du terroir s'il s'avère trop présent.

Les différents cépages (France)

L e cépage est l'objet de la science de l'ampélographie, du grec *ampelos* (« vigne ») et *graphein* (« écrire »). C'est une manière parfaite de le décrire : le cépage est l'écriture visuelle de la vigne. Sans procéder à proprement parler d'une variété génétique, il caractérise la manière dont les différentes vignes se reconnaissent à la forme de leur feuillage ou à l'aspect de leurs grappes.

Le cépage, ou cultivar pour les botanistes, est l'expression spécifique d'un pied de vigne particulier, que l'on peut faire perdurer par bouturage ou greffage. Les cépages dérivent tous de la même variété de vigne, la *Vitis vinifera*, la seule parmi la soixantaine existantes à être considérée comme bonne pour la consommation (les autres variétés n'étant pas fertiles ou présentant des arômes trop violents).

En fonction des régions, des disséminations successives et des caractéristiques propres à chacun d'entre eux, les cépages se retrouvent plus ou moins variés ou concentrés, recherchés et travaillés. La France compte un bon nombre de ceux que l'on rencontre dans le monde.

Pour reconnaître chacun d'entre eux, l'ampélographie s'appuie sur les spécificités de ses organes (forme des feuilles, nombre des rameaux, disposition des inflorescences, taille des grappes) et ses qualités propres (floraison de la vigne, qualité du raisin ou quantité de sa production, sa sensibilité aux maladies, etc.). Autant de signes distinctifs qui permettent au spécialiste de reconnaître une vigne au premier coup d'œil. Il s'agit donc d'observer la vigne à toutes les étapes de sa croissance et de son cycle pour en découvrir toutes les spécificités, en comprendre les subtilités et apprendre à la connaître intimement et de comprendre le raisin qu'il faut en attendre. Le métier des cultivateurs procède aussi de la maîtrise parfaite des différents cépages, de leur reproduction pour obtenir le meilleur vin possible. On différencie ainsi les vins de cépage des vins d'assemblage, les premiers procédant d'un seul cépage sélectionné avec soin, généralement pour son goût unique, les seconds, du mélange savamment dosé de plusieurs cépages pour obtenir un équilibre raffiné dans les saveurs. On sépare également les cépages de cuve, destinés à la fabrication du vin, des cépages de table, que l'on garde comme fruit de bouche.

Le cabernet franc,
le petit frère

On distingue le cabernet franc et le cabernet-sauvignon. Ce dernier a fait la célébrité des grands crus de Bordeaux. Le cabernet franc est resté dans son ombre, même s'il n'a pas manqué d'accéder à la notoriété tant l'histoire viticole de sa région d'origine est riche. Petit producteur et très sensible à de nombreuses maladies, le cabernet franc demande beaucoup de soin tout au long de sa croissance. Cela ne l'empêche pas d'être massivement implanté : on le cultive sur presque 50 000 hectares dans le monde, dont les trois quarts en France. Les régions de l'Hexagone où on le retrouve sont majoritairement dans le Sud-Ouest, où on le cultive avec le cabernet-sauvignon et le merlot, et dans la vallée de la Loire. On le cultive également depuis peu dans le Languedoc, où ses rendements peuvent être supérieurs.

Son bourgeonnement est cotonneux blanc, sa feuille, orbiculaire et lisse. Sa grappe est de petite taille, le raisin, d'un noir bleuté. On le connaît sous les noms de petite vidure, breton, plant breton, bouchet, ou gros bouchet, selon les régions. Moins coloré que son cousin cabernet-sauvignon, il affiche moins de tanins et peut donc être consommé plus jeune. Il allie des notes de framboise, de violette et de réglisse. Sur certains terrains, il peut aussi développer des arômes de poivron. Ses crus les plus célèbres, le bourgueil, le saint-nicolas-de-bourgueil ou le chinon, sont de longue garde, mais peuvent aussi se consommer jeunes. Ils sont très aromatiques, fruités, et peuvent ajouter des notes de cerise et de fraise aux précédentes.

Le cabernet-sauvignon,
la star planétaire

Le cabernet-sauvignon est aussi solide que le cabernet franc est fragile. Fruit d'un croisement du sauvignon blanc et du cabernet franc, il a un rendement assez important, que les cultivateurs tendent à juguler pour améliorer la qualité du raisin. Exploité en proportion légèrement plus élevée que son cousin, il arrive à la cinquième place des cépages français en concentration. On le retrouve en majorité en Aquitaine, où il représente la moitié du vignoble. C'est lui l'âme des grands médocs. Il bénéficie de six appellations communales dans le haut Médoc (listrac-médoc, moulis-en-médoc, margaux, pauillac, saint-estèphe, saint-julien). C'est aussi le grand bénéficiaire du célèbre classement des vins de 1855, qui souligne avant tout la noblesse de son terroir.

Son bourgeonnement est duveteux, et sa feuille, orbiculaire. Elle présente cinq lobes très marqués et rougit légèrement à l'automne. La grappe du cabernet-sauvignon est petite, et ses baies sont noir bleuté. Leur peau est épaisse, leur chair, sucrée. On l'appelle lui aussi vidure (qui signifie « bois dur » en patois bordelais), comme son cousin cabernet, navarre, bouchet, bouschet-sauvignon, marchoupet, carbouet. Très fort en tanins, le vin obtenu à partir du cabernet-sauvignon doit vieillir plusieurs années en fûts de chêne pour développer ses arômes de cassis mûr, de cèdre et d'épices. Il présente une note de poivron diversement apprécié, qui peut, si elle est trop marquée, être le signe d'un raisin cueilli trop tôt. Dans le Médoc, le cabernet-sauvignon est toujours utilisé au sein d'un assemblage.

C'est le deuxième raisin noir le plus cultivé au monde après le grenache. Il couvre 165 000 hectares un peu partout sur la planète et donne notamment naissance en Espagne au grand Coronas Etiqueta Negra, le raisin étant récolté de nuit pour conserver ses arômes. On connaît aussi l'Opus One, fruit de la collaboration de Robert Mondavi et de Philippe de Rothschild dans la Napa Valley américaine. C'est aujourd'hui l'un des vins les plus prestigieux des États-Unis. Ces deux vins très structurés présentent un goût très complexe.

Le grenache, un cépage de caractère

Cépage noir originaire d'Espagne, le grenache est très populaire dans le monde entier. Idéal pour la garde, très aromatique, il est cultivé sur 100 000 hectares en France, dans le Languedoc, sur le pourtour du Rhône et en Provence, où il joue un grand rôle dans les AOC locales. Aussi connu sous le nom d'alicante, d'aragonais (rappelant sa région d'origine), de bois jaune, de navarre, de roussillon ou de tinto, le grenache présente un bourgeonnement faiblement cotonneux, des feuilles unies, peu lobées, aux dents régulières et marquées, des baies de taille moyenne, et un raisin bleu-noir couvert de pruine qui lui donne un aspect poussiéreux.

Comme le grenache a un rendement assez important, c'est sur les terrains plutôt secs qu'il donne ses meilleures récoltes et exprime pleinement ses arômes. Il résiste bien à la sécheresse et aux maladies, excepté le mildiou et la pourriture grise. Il donne des vins corsés, qui vieillissent rapidement. Ce n'est que dans des assemblages que le grenache offre son meilleur potentiel de garde. Exprimant des notes exotiques de cacao, de café, de banane, il peut aussi évoquer des arômes de fruits rouges (cassis, framboise), de fruits secs ou mûrs, de fumée ou de bois vieilli. En France, il entre dans la composition du châteauneuf-du-pape, des côtes-du-Rhône, du rivesaltes, du banyuls et des côtes-de-Provence.

Le grenache est bien sûr très présent en Espagne, dans toute la Catalogne, le Pays basque et l'Aragon, où il entre dans la composition de la rioja. Il est également cultivé dans tout le sud de l'Italie, en Calabre, en Sicile, et surtout en Sardaigne, où il est le cépage noir majoritaire. Il est connu là-bas sous le nom de cannonau. On le trouve aussi dans d'autres pays au climat sec et chaud : la Grèce, l'Algérie, le Maroc et Israël. Le grenache existe également en cépage blanc et donne des vins aux arômes caractéristiques de narcisse et de fleur de troène.

Le merlot,
l'autre cépage de luxe

*L*e merlot est l'un des cépages les plus répandus dans le Bordelais avec le cabernet. Il est très sensible aux conditions climatiques, demande des terres humides et souffre facilement des maladies comme la pourriture grise, le mildiou ou les vers de grappe. D'un rendement variable selon les terroirs, il couvre actuellement 100 000 hectares, dont 60 000 dans le Bordelais, ce qui en fait un des cépages noirs les plus importants de France.

De bourgeonnement cotonneux blanc, le merlot possède une feuille à cinq lobes bien découpés aux dents marquées. Les baies de la grappe sont noir bleuté. Connu sous le nom de petit merle, de plant médoc, de sémillon rouge, de sème dou flube ou de bégney, il offre des arômes de fruits rouges, de violette, d'épices, parfois de pruneau. Il prédomine dans le pomerol et le saint-émilion, qui sont des vins de garde, vieillissant admirablement, mais que l'on peut également consommer jeunes en raison de leurs tanins doux.

Parmi les pomerols, on retrouve le pétrus, cru légendaire du Bordelais. En assemblage, le merlot se marie admirablement avec le cabernet-sauvignon, pour créer des vins très harmonieux même dans leur jeunesse. Les vins où il est majoritaire sont très colorés, puissants et généreux. On retrouve le merlot à peu près partout dans le monde : c'est le septième cépage le plus répandu de la planète (190 000 hectares), même s'il est un peu moins populaire que le cabernet-sauvignon. L'Italie du Nord en est une grande productrice, tandis qu'en Suisse, il donne naissance au val mesocco. Il est également très présent dans les Balkans et en Bulgarie, en Russie, en Hongrie et en Roumanie pour l'Europe de l'Est. Très populaire en Californie, il est utilisé pour des vins d'assemblage. On le retrouve enfin en Argentine, en Afrique du Sud, en Australie et même en Chine.

Le gamay : le vil et déloyal plant

Aussi appelé gamay noir à jus blanc pour le distinguer du gamay de Bouze et du gamay de Chaudenay, le gamay est un cépage de cuve français issu d'un croisement entre le pinot noir et le gouais. Originaire du hameau du même nom, dans la commune de Saint-Aubin, sur la côte de Beaune, il était intensivement cultivé en Bourgogne pendant le Moyen-Âge, où l'on appréciait sa productivité. Mais, faisant concurrence au pinot noir, le duc de Bourgogne, Philippe le Hardi, décida d'arracher ce « vil et déloyal plant », le cantonnant alors au seul Beaujolais, puis, plus tard, au Val de Loire. Ce cépage donne de gros rendements et des vins de qualité, et il est reconnaissable grâce à ses feuilles à cinq lobes avec sinus pétiolaire ouvert en V, des dents rectilignes et une densité très faible de poils couchés et des poils dressés. Peu vigoureux mais fertile, il s'épuise sous des conditions trop fertiles ou sous des climats trop chauds, et craint le millerandage, la pourriture grise, le mildiou et l'oïdium. De maturité précoce, il est sensible au gel tardif et aux grillures du soleil. Il est doté d'une belle capacité d'adaptation, mais les coteaux granitiques du Beaujolais restent son terrain préféré.

Il donne des vins chaleureux, fruités et épicés, mais pauvres en tanins et aromatiquement peu complexes. Mis à part dans les crus du Beaujolais, où il peut se garder cinq à dix ans, il donne principalement des vins de courte durée de conservation. Parmi ses arômes fruités et épicés, on retrouve le cassis et la framboise, la pomme et la poire, ou encore la pivoine et le poivre. Il se marie bien avec la charcuterie et le fromage, et s'adapte aussi à certaines cuisines exotiques, comme la cuisine japonaise.

Sur les 33 000 hectares plantés dans le monde, 30 000 se trouvent en France, dont 22 000 dans le Beaujolais. On le retrouve également en Suisse, cultivé pour l'élaboration de la dôle, où il est assemblé avec du pinot noir, et il est cultivé en Italie, en Bulgarie, en Hongrie, en Slovénie et en Israël, et même au Canada et au Brésil.

Le muscat, blanc ou ottonel, et son goût sucré

*L*e muscat désigne une famille de cépages cultivée depuis la haute Antiquité. Il s'est répandu tout au long des différentes conquêtes des empires successifs pour arriver dans le Bassin méditerranéen dans les pas des Romains. Le muscat est moins prolixe que les autres grands cépages, et les surfaces de culture qu'il représente sont également moindres.

La vedette de la famille est certainement le muscat blanc, au bourgeonnement duveteux blanc et feuilles brillantes à cinq lobes peu marqués. Son raisin est très sucré et musqué, et il roussit à maturité. Le muscat blanc entre dans la composition de vins doux fabriqués dans le Languedoc et réputés depuis des siècles : muscats de Lunel, de Mireval, de Saint-Jean-de-Minervois (qui a des notes de citronnelle, de litchi et de fruit de la passion), et, bien entendu, celui de Frontignan, connu dans le monde entier et qui s'exporte depuis le Moyen-Âge. Le vin de muscat exprime un fort parfum de rose et de bois de rose, des tonalités fruitées et florales très riches.

La variante du muscat ottonel, en Alsace, est plus ronde en bouche, adoucissant la nervosité du muscat blanc, et lui conférant une note de cassis et d'épices. Les grains de ce muscat sont plus claires, et les lobes de ses feuilles, plus marqués. Il est employé plus volontiers pour des vins blancs secs. Le muscat blanc peut l'être aussi, conférant aux vins une note légèrement amère.

Autour du monde, le muscat est très présent en Italie, où son appellation *moscato bianco* connaît de nombreuses variantes : on l'utilise pour faire des vins mousseux dans le Piémont, des vins liquoreux en Sicile, où le soleil charge plus volontiers le raisin en sucre. En Grèce, où on le nomme *moscatofilo*, il est également employé dans des vins de liqueur réputés.

Le pinot noir,
le cépage de Bourgogne

Comme le merlot et le cabernet-sauvignon dans la région du bordelais, le pinot noir est le cépage de Bourgogne qui a fait la réputation de ses grands vins. Et, lui aussi, il est assez sensible aux maladies et à la gelée. Le pinot donne lieu à un nombre très élevé d'appellations en raison d'une culture qui a commencé il y a des siècles et qui ne fait qu'augmenter au fil des années. Le pinot a un bourgeonnement blanc très duveteux, une feuille vert foncé aux trois lobes peu marqués. Son raisin est noir bleuté ou d'un violet très sombre, recouvert de pruine.

Qu'il se nomme noirien, pinot fin, morillon noir, plant noble, plant doré, cortaillod et klevner en Suisse, ou spätburgunder en Allemagne, le pinot produit des vins complexes et persistants en bouche, avec des arômes qui changent au fil du temps, de fruits rouges dans son âge tendre, jusqu'à la cerise et le cuir à sa maturité. Ses tanins onctueux le rendent idéal pour une garde qui peut aller, pour les crus exceptionnels, jusqu'à plusieurs décennies. Ainsi, le romanée-conti, vin d'exception s'il en est, peut vieillir dix ans, ou même vingt, pour exprimer ses notes de cerise, de violette et d'épices. D'autres grandes bouteilles de Bourgogne profitent du pinot noir : le chambertin, le clos-de-la-roche, le grands-échezeaux, ou le musigny pour la Côte d'Or, le corton ou le savigny-lès-beaune, le pommard ou le volnay pour la côte de Beaune.

Le pinot est également un des composants cruciaux des assemblages des vins de Champagne. Ce cépage s'acclimate mieux aux climats frais qu'à ceux du Sud, les grosses chaleurs lui faisant perdre une partie de ses saveurs subtiles. Aussi, les pays dans lesquels il s'adapte le mieux sont l'Allemagne, où l'on en fait principalement des vins doux, en Suisse allemande, dans le nord de l'Italie et les régions tempérées d'Espagne ou en Grande-Bretagne. Il s'est exporté hors d'Europe en raison de son potentiel fantastique, et on expérimente beaucoup à son sujet aux États-Unis, en Argentine, au Chili, en Afrique du Sud, en Australie et en Nouvelle-Zélande.

Le sauvignon,
un grand cépage blanc

Croisé avec le cabernet, il entre dans la composition des meilleurs rouges du Bordelais. Mais ce cépage blanc à la forte personnalité connaît également un franc succès dans des vins liquoreux et des vins blancs secs aux parfums prononcés. Ce cépage au bourgeonnement blanc cotonneux possède une feuille aux cinq lobes profondément découpés. Sa petite grappe compacte présente une belle couleur jaune doré en fin de croissance, son raisin a un goût qui rappelle celui du muscat. Blanc fumé, surin, feigentraube en Allemagne, muskat sylvaner en Autriche, muskatani silvanec en Croatie, le sauvignon exprime dans les vins des notes de buis et de cassis, de fleurs et de citron.

Il donne fraîcheur et souplesse aux blancs, comme le sauternes dans lequel il n'est pas majoritaire (c'est le sémillon, deuxième cépage de blanc français, et figure de proue des blancs de Bordeaux, qui constitue le gros de ce cru). Le sancerre est le vin qui traduit ses arômes, au cœur des terres du Berry.

La région, qui plantait plutôt historiquement du raisin noir, fut victime d'une terrible épidémie de phylloxera à la fin du dix-neuvième siècle, et les producteurs replantèrent en sauvignon, gagnant rapidement pour leurs vins blancs une reconnaissance internationale. En Italie, où il est bien implanté, il est plutôt cultivé dans le Nord, tout comme en Espagne ou au Portugal. Le sauvignon s'est aussi fait une place aux États-Unis, aussi bien en Californie que dans les États plus au nord, celui de Washington, comme celui de New York (il doit sa célébrité là-bas au fameux Robert Mondavi). Le Canada en est un producteur important, mais le sauvignon s'est aussi exporté au sud de l'équateur, au Chili, en Argentine, en Australie, en Afrique du Sud, en Nouvelle-Zélande. Il a même contribué à faire le succès des vins produits dans ce pays, acquérant sur le territoire néo-zélandais des notes fruitées caractéristiques qui en font un cépage très recherché.

Le riesling, le blanc du nord

Cépage limité en France quasi exclusivement à la région de l'Alsace et du Rhin, le riesling est originaire d'Allemagne, où il est cultivé depuis l'Antiquité. Il a été introduit dans le nord-est de la France à l'époque du partage de l'empire de Charlemagne par Louis II le Germain, et arrive depuis les années 1960 en tête des surfaces exploitées dans ces régions. Idéal pour les frimas des hivers du nord de l'Europe, il résiste superbement à la gelée. De bourgeonnement blanc vert duveteux, le riesling présente une feuille orbiculaire et un raisin allant du vert délicat au blond tirant sur le roux. À l'origine de vins secs de très bonne garde – plus d'une dizaine d'années –, le riesling exprime des notes de citron et de fleurs, de fruits (pamplemousse, pêche, poire) et de tilleul.

Les vins allemands sont plus fruités, mais aussi plus vifs que leurs voisins alsaciens. Cette richesse d'arômes fait des crus de riesling des vins très élégants, subtils et très frais. Les vins d'Alsace, plus corsés que les allemands, se distinguent dans les terroirs d'Altenberg de Wolxheim, Kastelberg, Schlossberg ou Sommerberg.

En Allemagne, le riesling le plus célèbre est sans doute celui de l'ancien monastère du Schloss Johannisberg, qui a connu des propriétaires prestigieux (de Guillaume V d'Orange à Klemens Wenzel von Metternich), et produit du vin depuis 1748.

À la fin du dix-huitième siècle, les viticulteurs découvraient accidentellement la possibilité de fabriquer des vins liquoreux grâce à la pourriture noble du raisin. On trouve le riesling également en Suisse, en Autriche, en Ukraine et en Russie. Il s'est parfaitement acclimaté à la Nouvelle-Zélande qui connaît des hivers frais, ainsi que dans le nord des États-Unis et au Canada. On peut citer enfin l'Argentine et l'Afrique du Sud comme terres d'accueil du riesling, qui connaît par ailleurs certaines imitations de qualité inférieure.

La clairette, un cépage qui disparaît

*V*ariété du Languedoc, elle a accédé à la notoriété grâce au vermouth et aux côtes-du-Rhône blancs qui l'utilisent dans leur assemblage. Sa production en France est en déclin, même si la clairette est un cépage assez résistant et adaptable aux terres maigres en raison d'une tendance de ses vins à mal supporter le vieillissement.

Clairette blanche, petite clairette, clairette ponchudo, colle musquette, cotticour ou clairette verte, ce cépage a un bourgeonnement cotonneux blanc, une feuille orbiculaire aux cinq lobes peu découpés et aux bords superposés. La grappe, plutôt volumineuse, est blanche, tachetée de points bruns. La récolte est assez tardive. Elle donne des vins qui portent son nom : clairette-de-Bellegarde, clairette-du-Languedoc.

Elle entre également dans l'assemblage du châteauneuf-du-pape, du cassis, du bandol, des côtes-de-Provence, des côteaux-d'Aix-en-Provence, des côtes-du-Ventoux. On en fait des vins secs ou moelleux, tranquilles et fruités, avec des notes de pomme et de pamplemousse, et une légère amertume en finale. Sa robe est jaune clair, avec des reflets verts.

Pour les mêmes raisons qu'en France, la clairette connaît peu de succès à l'étranger, excepté en Afrique du Sud, où elle est utilisée pour fabriquer un vin effervescent populaire. On la trouve également à de faibles concentrations en Sardaigne, au Maroc, en Roumanie, en Australie, en Uruguay, en Israël et en Algérie.

L'aligoté, le renouveau

*C*épage de coteaux, l'aligoté a longtemps souffert de la comparaison avec le chardonnay, cultivé dans les mêmes régions de Côte d'Or et chalonnaise, mais revient récemment au premier plan, cultivé sur plusieurs milliers d'hectares, et se diversifie dans le Jura et en Savoie. Il a atteint la consécration en 1997 en voyant son nom rattaché à celui de la commune de Bouzeron, dans la côte Chalonnaise. En Bourgogne, on l'appelle plus souvent bourgogne aligoté.

On le connaît localement sous un grand nombre de noms : blanc de Troyes, carcairone blanc, chaudenet gras, giboudot blanc, griset blanc, mukhranuli, pistone, etc. De bourgeonnement duveteux, l'aligoté présente des feuilles aux lobes peu marqués et aux bords fortement dentelés. Sa grappe est petite (environ dix centimètres) et blanc orangé. De tirage plutôt abondant, l'aligoté est cependant sensible aux maladies, notamment au mildiou.

Il donne des vins pauvres en tanin et parfumés, souvent consommés sous forme de kir, en association avec la crème de cassis. L'appellation kir découle du nom du maire de Dijon, Félix Kir, qui popularisa ce mélange après la fin de la Deuxième Guerre mondiale. Chanoine et résistant, Félix Kir était un personnage haut en couleur, dont l'une des répliques restées célèbres à l'Assemblée (il était également député) fut, en réponse à un député communiste qui se moquait de sa foi, arguant qu'on ne pouvait croire en Dieu sans jamais l'avoir vu : « *Et mon cul, tu l'as pas vu, et pourtant il existe !* »

L'aligoté produit un vin blanc léger et frais, idéal pour l'apéritif et consommé jeune. Il s'est répandu dans de nombreux pays, notamment ceux de l'ex-bloc soviétique, comme en Ukraine ou en Roumanie et en Bulgarie. On le retrouve également en Suisse et en Amérique du Nord et du Sud.

Le chardonnay, le populaire

*L*e chardonnay a d'abord connu la gloire en Bourgogne avant de se répandre partout en France, puis dans le monde entier. Sa surface cultivée a doublé dans l'Hexagone depuis la fin des années 1980. Son bourgeonnement est duveteux blanc, et sa feuille orbiculaire possède trois lobes très peu dessinés. Sa grappe est jaune ambré, et sa chair, sucrée et délicate. On le connaît sous le nom de morillon blanc, de chardonnet, chardeney, chaudenet, rousseau ou roussot, noirien blanc, beaunois, épinette, arboisier ou encore melon blanc.

Le chardonnay entre dans la composition de vins blancs secs très réputés, tel le montrachet ou le corton-charlemagne, de champagnes et de vins mousseux comme la blanquette de Limoux. Il donne un reflet vert aux vins auxquels il participe. L'Alsace, le Jura ou l'Anjou utilisent également le chardonnay pour leurs vins d'assemblage. Ses arômes, en dehors du tilleul, persistant, varient, pouvant évoquer plusieurs fruits, des agrumes à la poire ou au litchi. Le corton-charlemagne marie tilleul et miel, cannelle et agrumes. C'est un vin de grande garde.

Les champagnes issus du chardonnay sont réputés être parmi les meilleurs et les plus fins. Dans le monde, le chardonnay est cultivé à hauteur de 150 000 hectares, rencontrant un franc succès malgré sa fragilité face aux gelées d'hiver. L'Italie l'utilise largement pour ses vins du Trentin et du Frioul. L'Espagne, l'Autriche et la Roumanie favorisent également ce cépage pour améliorer la qualité de leur production, tout comme les États-Unis, principalement la Californie, dont la surface exploitée est maintenant supérieure à celle de la France.

Enfin, n'oublions pas les pays d'Amérique du Sud comme l'Argentine ou le Chili, et d'autres pays de l'hémisphère méridional, comme la Nouvelle-Zélande ou l'Australie, qui ont tous contribué à faire du chardonnay un des cépages les plus appréciés dans le monde.

Syrah, la ténébreuse

Ce cépage au nom exotique est une des stars du raisin noir de la vallée du Rhône. Toutes les hypothèses ont été évoquées pour expliquer son origine et son appellation mystérieuse : elle aurait été rapportée de Syracuse par les Romains ; de Syrie ou d'Iran (de la ville de Chiraz) par les croisés au Moyen-Âge au cours d'une de leurs multiples expéditions au Moyen-Orient. En réalité, au vu des études scientifiques, il semblerait en fait que ce cépage soit né du croisement de différentes vignes locales et n'ait d'exotique que son nom, qui remonterait à la langue celte. Seul cépage rouge autorisé pour l'appellation Cornas, la syrah domine dans tout le nord de la région du Rhône. Elle s'est largement développée au cours des dernières décennies, s'étendant au fur et à mesure vers le sud et l'ouest, pour atteindre le Languedoc.

De bourgeonnement cotonneux blanc à liseré carminé, la syrah présente une feuille à cinq lobes marqués, des baies noir bleuté recouvertes de pruine. Son nom connaît de multiples déclinaisons orthographiques, et on la désigne aussi parfois serine ou hermitage. Elle donne des vins tanniques, très sombres, aux accents prononcés de violette et de poivre, aptes en général à supporter de longues gardes. L'hermitage est son cru le plus emblématique. Il allie des tonalités de fruit rouge, de violette, de pruneau. Il exprime tout son potentiel après cinq à dix ans de garde. C'est en Australie que la syrah a connu sa plus grande prospérité, présidant aussi bien à la production du tout-venant qu'à celle de vins de qualité qui ont fait la réputation du pays. Ailleurs, l'Italie, la Suisse, en Europe, et l'Afrique du Sud, l'Argentine, le Mexique et la Californie en ont entamé l'exploitation pour diversifier leur production.

Le carignan, ou la mauvaise réputation

*L*e carignan a longtemps souffert, tout le comme gamay dans le Beaujolais, d'une mauvaise réputation. On le disait cultivé uniquement pour obtenir un gros rendement sur certaines parcelles, pour fabriquer des assemblages à moindre coût. Comme le grenache, c'est un cépage noir d'origine espagnole, mais il n'est presque plus cultivé dans son terroir d'origine : c'est sur le territoire français qu'il a entamé une nouvelle existence, notamment en Languedoc-Roussillon, où le climat sec et chaud lui permet de s'imposer facilement. Cultivé sur de larges zones (sur plus de 200 000 hectares à son pic d'exploitation), il perd sa personnalité en raison d'une tendance à mettre à profit exagérément son rendement : cependant, à la fin du vingtième siècle, le retour à des pratiques plus raisonnables lui permet de faire valoir ses qualités naturelles.

Le carignan, bien exploité, peut devenir un cépage idéal au sein d'assemblages pour les vins de garde, et développer des arômes fruités très agréables. Sa présence dans les vins des Corbières et des coteaux du Languedoc commence à lui valoir une certaine réhabilitation aux yeux des connaisseurs. Le fitou, dans lequel il participe pour 30 % de l'encépagement, est un de ses vins phares, riche en tanins, charpenté et offrant des notes de figue, de chocolat et de café.

Ce sont les tanins du carignan, plutôt durs et amers, qui ont conduit à sa sous-estimation ; mais la macération carbonique a produit de bons résultats pour les assouplir. Connu sous le nom de babonenc, bois de fer, catalan, crusillo ou kerrigan, ce raisin est, comme le grenache, répandu tout autour de la Méditerranée : en Italie, en Grèce, au Maroc et à Chypre. Il a également été introduit en Afrique du Sud, en Californie, au Mexique, dans plusieurs pays d'Amérique du Sud et même en Chine.

Le sémillon, le liquoreux

*L*e sémillon est un cépage blanc français de grande classe, originaire du Bordelais. Il entre dans la composition des grands blancs locaux et participe également aux vins de Dordogne et de Provence. Résistant au mildiou et à l'oïdium, il se prête idéalement à l'action de la pourriture noble, ce qui en fait le raisin idéal pour obtenir des vins liquoreux. Les années pluvieuses, cependant, il peut être atteint par la pourriture grise, et la récolte risque alors fortement d'être compromise. Autrement appelé sauternes ou chevrier en France, et semilao ou semijon à l'étranger, il présente un duvet dense de poils couchés sur son jeune rameau, des feuilles à cinq lobes, à dents rectilignes, des grappes de belle taille et un raisin vert aux reflets jaunes.

Dans les vins, il a de grandes qualités aromatiques. Il couvre des notes qui vont du miel à la noix, en passant par le citron et le tilleul, la pêche blanche et la mangue. Ce sont les sauternes qui en expriment le mieux le caractère sucré et peu acide. Le sémillon a été implanté avec succès dans tout l'hémisphère Sud : en Argentine et au Chili, en Afrique du Sud et en Australie. Le sémillon a largement été cloné pour créer de nouvelles souches, notamment pour affiner son potentiel dans le domaine des vins liquoreux : sept de ces clones sont actuellement homologués ; d'autres devraient suivre rapidement.

Le cinsaut : le noir de Provence

Originaire de Provence, le cinsaut, ou cinsault, est un cépage noir à jus blanc fertile et productif, très résistant à la sécheresse. Réservé aux terres pauvres et sèches en raison de sa production trop élevée en terrain fertile, il résiste à l'oïdium, mais est sensible aux maladies du bois, aux acariens, aux vers de la grappe et à la pourriture grise. Son rendement en jus est élevé, et il donne des vins agréables, souples et fruités, et même d'excellents rosés. Il était auparavant associé au grenache pour y apporter ses spécificités.

En France, il couvre 24 000 hectares, surtout en Provence, dans le Languedoc-Roussillon et dans la vallée du Rhône, et on le retrouve dans le Bassin méditerranéen, en Algérie, en Espagne et en Italie. Il est cultivé en Afrique du Sud, où il a été croisé avec le pinot noir pour donner un hybride connu sous le nom de pinotage, qui donne un vin moelleux et fruité. Le cinsaut est aussi consommé en raisin frais, sous le nom d'œillade. On le retrouve également sous les noms de black malvoisie, de blue imerial, de gros marocain, de madiran du Portugal, de milhaud du Pradel, d'ottavianello, de picardan noir, de pis de chèvre rouge, de prunaley et d'ulliade noire.

Les grands cépages étrangers

Comme nous avons pu le voir au cours de leur brève description, les grands cépages français que nous avons abordés jusqu'à maintenant ont connu un très vif succès qui les a amenés à être largement exportés, conservés précieusement pour qu'on puisse en copier la qualité ou transformés dans le but de découvrir de nouveaux goûts ou de les adapter aux terroirs rencontrés sur place. Ces cépages sont eux-mêmes souvent la manifestation visible de conquêtes et de transformations culturelles. Les Grecs et les Romains ont par exemple, par le biais de leurs empires, répandu certains ancêtres de nos pieds de vigne actuels à travers le Bassin méditerranéen et plus au nord. Cependant, la France n'est pas le seul pays à présenter un territoire idéal pour la culture du raisin et l'obtention de grands vins, même si la longévité de notre tradition donne à notre pays des atouts à faire valoir pour ce qui est du savoir-faire.

Les autres pays du Bassin méditerranéen, qui présentent un climat aux températures élevées, comme l'Espagne et l'Italie, permettent au raisin de se gorger de sucre. Ils produisent des vins réputés à partir de cépages qui s'épanouissent moins bien en France, où le climat est plus tempéré. L'Europe du Nord (Allemagne, Autriche ou Suisse) et l'Europe de l'Est (Hongrie, Roumanie ou Slovaquie pour ne citer que ces pays) savent tirer parti des spécificités de leurs terroirs et de leurs cépages pour produire des bouteilles connues dans le monde entier. Enfin, le continent américain, cherchant à s'émanciper, a su créer ses propres variétés de cépages ou donner une nouvelle vie à certaines sous d'autres latitudes et climats.

Le nebbiolo,
un italien de haut vol

C'est un cépage rouge principalement connu pour l'usage qu'en font les Italiens dans le Piémont. Il semblerait que le nebbiolo soit un cousin du freisa, un cépage de raisin noir qui donne des vins framboisés et tiendrait son origine du viognier, un cépage blanc historique des côtes du Rhône qui jouit, après avoir failli s'éteindre, d'un net regain d'intérêt de la part des viticulteurs et des amateurs. Le nebbiolo connaît énormément d'appellations de l'autre côté des Alpes : chiavennasca, melasca, melascone, nebbieul grosso ou maschio, poctener, spanna, uva span et d'autres encore. Sa feuille est trilobée, et son raisin à maturation présente des grappes d'un bleu-violet sombre mâtiné de gris en raison de la pruine qui les recouvre. Il est récolté assez tardivement et est assez délicat, ce qui explique peut-être pourquoi on ne le trouve pratiquement pas en France.

Les vins les plus connus dont il participe à la fabrication sont le barolo, dans la région d'Alba, le barbaresco, plus au nord, et le carema sur les pentes du mont Maletto. Leurs tanins intenses en font des vins qui doivent mûrir avant d'être servis. Dotés d'une robe grenat aux reflets orangés, ils expriment des nuances de cerise, de prune, de framboise, de réglisse, de champignon et de cuir.

La longue durée d'attente nécessaire avant la consommation de leurs vins a poussé certains producteurs à essayer de raccourcir les temps de fermentation pour obtenir des vins praticables plus jeunes, au risque de dénaturer le goût de leurs grands crus. Le nebbiolo, en raison de la haute tenue de ses vins (qui sont les plus recherchés des vins italiens à travers le monde), a connu le succès au Mexique, aux États-Unis - la majorité se retrouvant bien évidemment en Californie - , en Australie et même récemment au Québec.

Le trebbiano : l'ugni blanc italien

Cépage blanc italien cultivé depuis l'époque romaine dans la région de Campanie, le trebbiano est connu sous le nom d'ugni blanc en France, où il est cultivé depuis le Moyen-Âge, introduit en Avignon par la cour des papes au quatorzième siècle. Débourrant tard, il échappe aux gels de printemps et possède une croissance vigoureuse. Résistant bien à la pourriture grise grâce à sa pellicule épaisse, il est néanmoins sensible au mildiou et à l'oïdium. Il donne beaucoup en terrain fertile, avec un degré jugé satisfaisant dans le Midi de la France (entre 11 et 12 %), mais plus faible en Charente, où il donne des vins entre 7 et 9 %.

La grappe grande et longue du trebbiano, avec ses baies rondes et jaune doré, offre des arômes floraux, notamment de violette et de géranium. Il est cultivé en Italie pour des vins vifs et frais, comme le capriano del colle, le colli berici et le castelli romani. En France, il est principalement cultivé en Provence et en Corse, mais également en Charente.

Connu aussi, entre autres, sous les noms de cadillac, chatar, queue de renard, rossan de Nice, white hermitage ou white shiraz, il est cultivé en Bulgarie, en Amérique, en Australie et en Afrique du Sud.

Le palomino,
l'âme du xérès

Le palomino, que l'on connaît sous le nom de listan en France, est un cépage blanc espagnol. C'est lui qui entre principalement dans la composition du xérès, ce vin muté à l'eau de vie mondialement connu qui a été célébré depuis la fin du Moyen-Âge. Les Anglais, notamment, en sont assez friands. Ils le consomment sous le nom de sherry. C'est ainsi que même leur dramaturge le plus connu, William Shakespeare, mettait dans la bouche de l'un de ses héros un éloge de ce breuvage : « *Un bon xérès a deux effets : d'abord, il monte au cerveau, éloigne les tristes et sottes pensées qui l'enténèbrent, délie la langue et l'esprit ; ensuite, il réchauffe le sang et en chasse la pusillanimité et la couardise.* »

Cépage que l'on retrouve également au Portugal dans la région de Madère, connu là-bas sous le nom de listao, le palomino possède un bourgeonnement cotonneux. Ses feuilles portent cinq lobes bien marqués, ses baies sont de grande taille, et les grains sont jaune d'or, légèrement recouverts de pruine. Comme le palomino est assez résistant et très productif, on doit le tailler fortement. Sa seule faiblesse est sa sensibilité au gel, qui le limite aux climats chauds et méditerranéens.

Les vins blancs secs que l'on produit avec lui ont un goût peu marqué en raison d'une faible teneur en sucre, mais sa mutation à l'eau-de-vie exhausse ses saveurs. Vieilli selon une large gamme de méthodes, il est utilisé aussi bien comme apéritif que comme digestif, ou même pour accompagner certains plats : il développe une saveur caractéristique de noisette. En dehors de la province de Cadix – la plus méridionale d'Espagne –, où il est implanté historiquement, le palomino a trouvé terre d'accueil en Afrique du Sud (où il est largement exploité), en Californie, au Mexique, en Argentine et en Australie.

Le furmint,
le secret du tokay

*L*e tokaji aszu, plus connu sous le nom de tokay, est le vin qui a fait la gloire de la Hongrie et de la Slovaquie. Il est réalisé à partir des cépages de furmint, d'harslevelü et de sárgamuskotály. Le furmint est le cépage qui constitue la majorité de ce vin liquoreux, obtenu grâce à l'action d'un champignon qui constitue la pourriture noble (*Botrytis cinerea*) des grappes trop mûres. Ce processus est possible grâce à la résistance naturelle du furmint à la pourriture grise, qui lui permet son évolution « noble ».

Ses feuilles arborent des lobes peu marqués, et son raisin est jaune orange. On le connaît en Europe centrale et de l'Est sous une multitude de noms : allgemeiner, bieli moslavac, bihari boros, gelber moster, gemeiner, görin, krhkopetec, maljak, malvasia verde, mosler, toca tokai, tokaiskii, tokay, et bien d'autres encore.

Le tokay a un statut particulier : cité jusque dans l'hymne national de la Hongrie, il vient de la ville de Tokaj, à 200 kilomètres au nord de Budapest. Il est reconnu par la commission européenne comme production exclusive de la région et ne connaît donc que peu de concurrence ou d'émule à l'international, à l'exception des petits vignobles de son voisin slovaque, pour lesquels un accord existe depuis 1990 : les Slovaques peuvent produire le même vin en garantissant les normes édictées par les producteurs de tokay hongrois. Les vignobles ont été privatisés avant les années 2000, amenant une quantité d'investisseurs étrangers, parmi lesquels de grands groupes français comme Axa ou la GMF, à investir pour acquérir ces vignes, jusqu'à ce que le gouvernement hongrois se résolve à interdire la cession des terres restantes.

Pour fabriquer le vin de tokay, on récupère les raisins atteints de pourriture noble que l'on fait tremper dans du vin pendant un à deux jours. Le liquide obtenu est placé en fût de chêne pour vieillir pendant deux à trois ans. Certaines années, le tokay n'est pas produit et à la place sont fabriqués des vins très réputés : les szepsy. Le tokay se caractérise par des notes de raisin sec, de miel, de châtaigne, ainsi que de pruneau et de chocolat. Le szepsy, quant à lui, parle de pomme, de citron et d'abricot.

Le touriga nacional,
un des piliers du porto

Cépage noir portugais, le touriga nacional est à l'origine de vins de très grande qualité. Appelé également bical tinto, mortágua, mortágua preto, tourigao, tourigo antigo, tourigo do Dão et Turiga (du nom du village de Tourigo, auquel il fut d'abord associé), il est considéré par certains comme l'âme du Portugal, pour ce qui est du vin. Il a une feuille aux trois lobes très marqués, et son raisin se présente en petites grappes bleu-noir à maturité, à petits grains et à peau épaisse. Le touriga nacional a un faible rendement. Il est chargé en sucre et amène des tanins puissants au vin de Porto dans l'assemblage duquel il joue un grand rôle. Il commence également à jouer un rôle important dans d'autres assemblages, comme ceux de Douro ou de Dão. Les vins qu'il permet de produire sont puissants et équilibrés, tanniques et sombres, aromatiques et de très bonne garde. Ils expriment des touches de pomme reinette, de prune, d'épices, des notes plus marquées de fruits noirs (mûre, cassis, cerise) et de fleurs (notamment un intense arôme de violette).

Le touriga nacional n'est pas cultivé sur une très grande surface au Portugal en raison de son rendement faible et irrégulier, mais il s'est plutôt bien exporté : il est présent en Ouzbékistan, en Australie, en Afrique du Sud, au Brésil et aux États-Unis, où il est utilisé pour produire des vins rouges traditionnels. Son clonage scientifique a permis d'augmenter sa rentabilité de 15 %, poussant les viticulteurs à travers le monde à l'utiliser plus régulièrement seul pour faire des vins rouges de très haute tenue.

Le tinta roriz ou tempranillo, un espagnol ou un portugais ?

Cépage espagnol de raisin noir, c'est le plus cultivé de sa catégorie en Espagne après le grenache. Il serait un lointain descendant du pinot noir. Connu sous le nom d'aldepenas, d'aragones, de cencibel, de jacivera, de negra de mesa, de tinta roriz, tinto pais, valdepeñas et bien d'autres encore, le tempranillo est sensible à la pourriture grise et au mildiou. Ses feuilles aux bords dentelés présentent cinq lobes, et son bourgeonnement est cotonneux blanc à liseré carminé. Son raisin massé en grappes moyennes est noir et à peau épaisse. En Espagne, il est utilisé dans des assemblages avec le grenache pour produire notamment les vins de rioja.

Au Portugal, sous le nom de tinta roriz, c'est l'un des célèbres cépages utilisés pour produire le porto, qui peut marier jusqu'à 20 raisins différents. Le tempranillo dote les vins qu'il compose de tanins souples, permettant de les consommer jeunes, mais présente également un bon potentiel de garde. Il exprime des notes de fruits secs, de prune, de cerise, de cuir, de tabac, d'épices, de chocolat, de vanille et de réglisse.

À l'échelle mondiale, c'est l'un des premiers cépages à avoir été introduits par les Européens aux États-Unis, en l'occurrence par les Espagnols, au dix-septième siècle. Il a ensuite trouvé son territoire de prédilection en Californie, en raison de la chaleur dont il a besoin pour s'exprimer pleinement et se concentrer en sucre. Après une certaine désaffection, il a reconquis toutes les régions d'Espagne à la fin du siècle dernier et s'impose aussi désormais en Australie et en Afrique du Sud. Il se marie très bien, au sein d'assemblages, avec le merlot et le cabernet-sauvignon. C'est dans la région espagnole de Ribeira del Duero qu'il est le plus cultivé, et c'est aussi là-bas qu'on trouve les vins dans lesquels il s'exprime en solitaire.

Le malbec, le survivant

Le malbec est l'exemple parfait d'une résurrection inattendue. Connu sous le nom de côt en France, il est implanté dans le Sud-Ouest, où il entre dans la composition de l'AOC de Cahors, dans le Lot. En France, où il a été introduit par les Romains dans l'Antiquité, son exploitation ne cesse de baisser après avoir connu à l'âge classique un pic lorsque la production issue du côt était comparée à celle des cépages du bordelais : elle a chuté de 50 % dans le courant de la deuxième moitié du vingtième siècle. Mais ce cépage a été introduit en Argentine, où il a connu un franc succès et s'est admirablement adapté pour produire, sous l'appellation de malbec, des vins très fins. La surface cultivée dans ce pays est dix fois celle qu'on lui consacre en France (50 000 hectares contre 5 000 !).

De bourgeonnement cotonneux, le malbec a des feuilles entières, sans lobes, ou grossièrement trilobées, assez dentelées. Ses baies de taille moyenne présentent un raisin d'un noir poussiéreux, fortement couvert de pruine.

Dans les vins où il apparaît seul, il apporte une couleur riche et des notes très parfumées, évoquant avec plus ou moins de bonheur une touche végétale, lointaine cousine de celle développée par les cabernets. Riche en tanins, il s'assouplit et gagne à être gardé en cuve ou en barrique pendant au moins cinq ans. Il exprime des arômes puissants de fruits rouges (cerise, mûre, cassis), d'épices (réglisse, parfois anis) et de violette. Une fois vieilli, il peut aussi développer des nuances de sous-bois. En assemblage, le malbec est utilisé pour obtenir un certain moelleux dans les vins rouges. Le Chili, voisin de l'Argentine, s'y est mis lui aussi, plus modérément, ainsi que la Californie, l'Australie, la Nouvelle-Zélande et l'Italie.

Le zinfandel, l'Américain

Le zinfandel est un cépage noir très populaire en Californie, où il s'est implanté au dix-neuvième siècle, certainement depuis une souche européenne, peut-être autrichienne ou italienne, après avoir traversé les États-Unis. Ses origines sont longtemps restées obscures, mais il serait le cousin ou l'équivalent génétique du crljenak kaštelanski croate (Dalmatie) et du primitivo italien, cultivé dans les Pouilles. Cependant, il n'est pas destiné au même usage que ses ancêtres puisque ce cépage rouge est parvenu à la célébrité aux États-Unis dans un vin rosé, qui, pour ne rien arranger, est appelé le *white zinfandel*. Récemment, son prestige a pâli de l'implantation réussie du cabernet-sauvignon en Californie. Il y est cependant largement cultivé, à hauteur d'une vingtaine de milliers d'hectares environ, d'autant qu'il a connu un regain d'intérêt de la part des consommateurs américains au tournant du vingt et unième siècle.

Présentant des feuilles trilobées, des grappes importantes au raisin violet se teintant de gris au fur et à mesure que la pruine s'y dépose, le zinfandel entre cependant dans la composition de vins rouges qui ont réussi à se faire connaître. Riches en alcool (en raison de la capacité du zinfandel à s'adapter aux très hautes températures de l'été de Californie du Sud), ils développent de fortes notes de fruits rouges (notamment de framboise) manquant parfois de finesse, de mûre, d'anis et de poivre dans les régions plus fraîches.

De tanins pleins et présents, ils connaissent en général plusieurs déclinaisons offrant le choix pour les plus exigeants de les laisser vieillir. Fait pour résister aux climats arides, le zinfandel a intéressé les cultivateurs australiens et d'Afrique du Sud, qui souhaitent l'acclimater chez eux.

Les AOC

L'AOC, ou appellation d'origine contrôlée, est le système institutionnel mis au point dans les années 1920 et 1930 pour garantir à la fois aux producteurs et aux consommateurs l'accès à un vin de qualité, représentant un savoir-faire, un terroir, une tradition spécifiques, dont les procédés de fabrication seraient soumis à surveillance pour garantir la continuité de la production. On doit la création de cette appellation aux efforts conjugués de Pierre Le Roy de Boiseaumarié, dit le baron Le Roy, et de Joseph Capus, député de Gironde.

Le phylloxéra, puceron raffolant des pieds de vigne, avait dévasté les vignobles dans le courant et vers la fin du dix-neuvième siècle, laissant les producteurs dans une situation très délicate. Pour continuer à faire leur vin, certains n'hésitaient pas à faire venir leur raisin de zones moins touchées que les leurs, profitant tout de même du prestige associé à leur terroir. Le baron Le Roy, pour lutter contre ce genre de fraudes, mit en place plusieurs syndicats de vignerons avant de créer une « section grands crus » au sein de la Fédération des associations viticoles de France en 1932.

Avec le soutien de plusieurs députés, Le Roy entama la promotion d'un vin de terroir, fortement attaché à son domaine de production. Il gagna un procès en 1933 qui lui permit de délimiter l'appellation Châteauneuf-du-Pape à laquelle correspondait son vignoble : il venait ainsi de lancer l'appellation, le lien d'essence unissant la région de production à son vin à travers son vignoble et ses méthodes de fabrication.

Par la suite, les certificats délivrés par l'institution des AOC vont s'étendre à d'autres catégories de produits (ainsi des fromages, des fruits et légumes, du miel, etc.) autour de cahiers des charges très précis contrôlés par un organisme affilié au ministère de l'Agriculture.

Les crus et la date magique de 1855

*L*e cru fait référence à un vignoble (ou un terroir produisant un vin) et à ce vin. Une AOC contient donc plusieurs crus, correspondant à plusieurs vignobles dans son terroir. C'est cependant par l'intermédiaire des crus qu'au dix-neuvième siècle, avant que n'existent les AOC, a été réalisé le premier classement permettant de différencier la qualité des productions. Ce classement, resté célèbre, est encore d'actualité aujourd'hui.

Il a fait la réputation de toute une région : il s'agit de la classification officielle des vins de Bordeaux de 1855. Il découlait d'une demande de Napoléon III qui voulait les présenter selon cette classification pour l'exposition universelle de Paris en 1855. Il contenait des vins rouges (tous venus du Médoc excepté un vin des Graves), divisés en cinq catégories, et des vins blancs, des sauternes et des barsacs, sur trois catégories.

Tous les vins figurant dans ce classement ont eu une postérité formidable : ils sont considérés comme les meilleurs dans le monde, et leurs bouteilles se vendent aujourd'hui des fortunes.

Parmi les records, on peut citer le vin du Château d'Yquem, seul premier cru supérieur, en blanc, dont une bouteille de 1787 ayant censément appartenu à Thomas Jefferson a été vendue 100 000 dollars. Le Château Margaux, premier cru en rouge, se négocie autour de 30 000 euros la bouteille pour les meilleures cuvées. Une bouteille ayant également été la propriété de Thomas Jefferson s'est négociée à 160 000 dollars. Le classement de 1855 fait place seulement à 88 châteaux (61 pour le rouge, et 27 pour le blanc) et a connu assez peu de révisions, avec pour changement le plus notable la promotion en 1973 du Château Mouton-Rothschild de second à premier cru (la plus haute distinction pour les rouges).

D'autres classements ont suivi, notamment pour les vins de la région proche de Saint-Émilion (en 1959) et bien avant pour celle de Bourgogne en 1862 pour refuser la domination unilatérale des bordeaux. Ces classifications permettent d'identifier la qualité relative d'un vin, et par conséquent le prix auquel il peut être vendu.

Les premiers grands crus en bordeaux rouges, l'excellence en châteaux

C'est la crème de la crème des rouges de Bordeaux, même si le classement fait l'impasse sur d'autres vins exceptionnels sur lesquels nous allons revenir. Le seul promu, le Château Mouton-Rothschild, est situé dans la commune de Pauillac, dans le Médoc. Ses étiquettes sont renouvelées chaque année, et en général dessinées par un artiste célèbre : Chagall, Miro, Picasso et d'autres se sont succédé pour les réaliser.

Appartenant à la fameuse famille Rothschild, le château produit un vin associant cabernet-sauvignon et cabernet franc avec une pointe de merlot et de petit verdot (cépage français noir qui ajoute du tanin et de la puissance au vin, ainsi que des notes de framboise, de violette et d'épices). Six magnums de la cuvée 1947 ont trouvé preneurs à 345 000 dollars lors d'une vente aux enchères de 2006 chez Christie's. L'autre possession de la famille Rothschild dans la commune de Pauillac est le Château Lafite-Rothschild, acquis en 1868.

Le vin qui y est produit résulte d'un assemblage entre cabernet-sauvignon et merlot, rehaussé d'un peu de cabernet franc et de petit verdot. Les bouteilles de ce domaine se négocient assez cher, au-delà des 100 000 euros pour celles qui datent de la Révolution française.

Le Château Latour est également situé dans la commune de Pauillac, dans l'estuaire de la Gironde. Il est depuis 1993 la propriété de François Pinault, par le biais de sa société Artémis. Comme le Château Lafite, le vin du Château Latour fait la part belle au cabernet-sauvignon

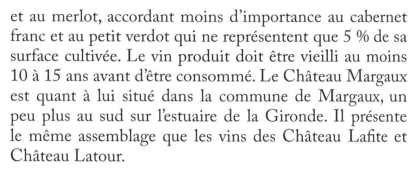

et au merlot, accordant moins d'importance au cabernet franc et au petit verdot qui ne représentent que 5 % de sa surface cultivée. Le vin produit doit être vieilli au moins 10 à 15 ans avant d'être consommé. Le Château Margaux est quant à lui situé dans la commune de Margaux, un peu plus au sud sur l'estuaire de la Gironde. Il présente le même assemblage que les vins des Château Lafite et Château Latour.

Enfin, le dernier des premiers crus, le Château Haut-Brion, est produit dans les Graves, plus bas encore en bordure de Gironde. Cette région doit son nom au gravier qui constitue son sol et provient des Pyrénées, déposé là petit à petit au fil des siècles par la Gironde. Il appartient à Joan Dillon, épouse du duc de Mouchy. Le haut-brion rouge comporte plus de merlot que de cabernet-sauvignon et exprime des notes de tabac, de cuir et de café. Le château produit également du vin blanc à partir de sauvignon et de sémillon.

Les premiers grands crus en bordeaux blancs, la renommée mondiale

*L*e vin du Château d'Yquem, en sauternes, est considéré comme le plus grand vin liquoreux qui existe. Composé pour une grosse part de sémillon et pour une autre de sauvignon, ce vin est étonnamment assez sucré, mais sa vive acidité vient l'équilibrer, lui permettant d'exprimer une grande complexité. S'épanouissant au fil du temps, c'est un des seuls vins blancs au monde qui puissent se conserver pendant des décennies, voire plus d'un siècle. L'exigence de qualité du Château d'Yquem est telle que, si une récolte est considérée comme ne répondant pas à ses critères d'excellence, on renonce à la production de l'année en question. La production comporte donc des années sans millésimes.

Les premiers crus en blanc sont plus nombreux que leurs homologues rouges. Citons tout d'abord le Château La Tour-Blanche, propriété de l'État depuis le début du vingtième siècle, qui produit un vin blanc de sauternes en même temps qu'il abrite un lycée professionnel agricole pour former les futurs spécialistes des métiers de la vigne. Le vin de la Tour-Blanche est produit grâce à l'action de la pourriture noble sur le raisin.

Tout comme le domaine de la Tour-Blanche, les châteaux Lafaurie-Peyraguey, Rabaud-Promis, Sigalas-Rabaud, et de Rayne-Vigneau, ainsi que le Clos Peyraguey se situent dans la commune de Bommes, dans la région du Sauternes. Le Château Guiraud est situé quant à lui dans la commune même de Sauternes, le Château Rieussec, à Fargues. Hormis les sauternes, deux barsacs font leur apparition dans ce classement des premiers crus blancs : le Château Coutet et le Château Climens. Si le premier utilise un assemblage de sémillon, de sauvignon blanc et de muscadelle, le Château Climens se démarque en utilisant uniquement du sémillon.

Les autres grands crus et les pomerols, ou l'autre côté du classement

*I*l scrait fastidieux de faire la liste des nombreux châteaux qui constituent les deuxièmes et autres crus des vins de Bordeaux dans le classement de 1855. Pour les rouges, ils regroupent d'autres pauillacs, d'autres margaux, des vins de l'appellation Saint-Julien, au sud de Pauillac, toujours dans le Médoc, et un saint-estèphe, le château Cos d'Estournel, du nom d'une autre commune du Médoc. Pour les blancs, c'est un mélange de barsac et de sauternes, où le premier est plus présent.

On peut cependant donner une idée du caractère parcellaire de ce classement en prenant l'exemple des vins de Pomerol, qui ne sont jamais apparus dans aucun classement. Pourtant, l'un de leurs représentants, le pétrus, est considéré par les professionnels comme l'égal des plus grands crus de Bordeaux classés, comme le Mouton-

Rothschild ou le Château Latour. Autre originalité de ce vin : il est le seul de ce standing à ne pas être produit dans un château.

Le pétrus est constitué d'un assemblage radical constitué à 95 % de merlot avec 5 % de cabernet franc (c'est la spécificité des vins de Pomerol de mettre plus volontiers en valeur le merlot), sur des vignes plutôt vieilles. Si les bouteilles peuvent monter à 15 000 euros pour les meilleures années, le pétrus affiche un prix moyen très élevé, de l'ordre de 2 300 euros, ce qui le place parmi les dix vins les plus chers dans ce domaine, en compagnie des meilleurs crus de Bourgogne. Selon ce critère, c'est lui le premier des bordeaux.

La région de Pomerol accueille aussi le Château La Conscillantc, dont les vins sont également réputés dans le monde entier. Le vin La Conseillante allie 80 % de merlot à 20 % de cabernet franc et développe de fortes notes de violette.

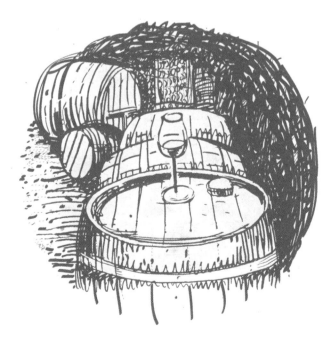

Les vins de Saint-Émilion, l'alternative chic

*P*our pallier une absence du classement des bordeaux qui s'expliquait assez difficilement, les producteurs de Saint-Émilion, dans la région autour du village du même nom, située en bordure de la Dordogne avant qu'elle ne rejoigne la Gironde, au sud-est du Médoc, ont mis leur propre système de classement en place à partir de 1959.

Il est révisable tous les dix ans et l'a été quatre fois depuis lors. Cette possibilité de révision a donné lieu à une véritable bataille judiciaire, impliquant toutes les instances d'État à la suite du déclassement de certaines propriétés lors de l'édition 2006.

Le classement comprend trois catégories, dans l'ordre décroissant : premiers grands crus classés A, premiers grands crus classés B, et grands crus classés. La première de ces classes ne comprend que deux vins exceptionnels, tout à fait comparables aux premiers grands crus de Bordeaux : il s'agit des crus du Château Ausone et du Château Cheval-Blanc. Le Château Ausone produit un des vins les plus vieux de la région.

Il se compose quasiment à égalité de merlot et cabernet franc. Il est très structuré et aromatique. Le Cheval-Blanc, quant à lui, est d'autant plus légendaire qu'un mathusalem (une bouteille de six litres) de la cuvée 1947 a été vendu pour 223 967 euros à une vente aux enchères chez Sotheby's en 2010, ce qui en a fait, à l'époque, la bouteille la plus chère du monde. La bouteille venait des caves du château où étaient conservés des exemplaires des cuvées les plus

81

rares, remontant jusqu'à 1900. Ce vin est composé à 60 % de cabernet franc et à 40 % de merlot. Le château appartient conjointement aux hommes d'affaires Albert Frère et Bernard Arnault. Parmi les premiers grands crus classés B, on trouve d'autres vins très célèbres comme le Château Angélus, le Château Figeac ou le Château Beauséjour.

Les crus bourgeois et les autres, ou le double fond du Médoc

*L*es propriétaires de vignobles désireux de faire connaître leurs vins mais contrariés par le classement monolithique de 1855 – surtout ceux qui, au sein du Médoc, n'y avaient pas droit – décidèrent en 1932 de se grouper pour mettre en place les « crus bourgeois ». Ce classement, reconnu au fil des années pour sa qualité, fut agréé par l'État et porte sur près de la moitié de la production du Médoc. Il se différencie lui aussi en trois catégories : crus bourgeois, crus bourgeois supérieurs et crus bourgeois exceptionnels. Ces derniers sont un peu moins d'une dizaine, quand les autres catégories comprennent autour de 90 et de 150 propriétés. Y sont représentés tous les terroirs du Médoc : médoc, haut-médoc, moulis-en-médoc, margaux, saint-julien, pauillac, saint-estèphe et listrac-médoc.

Il est intéressant de noter que certains producteurs ont refusé d'intégrer ce classement, préférant se fier à leur propre promotion : il en est ainsi du Château Gloria et du Château Sociando-Mallet, lequel a d'ailleurs ce slogan sur son site internet : « *Ni classé, ni bourgeois... Sociando-Mallet, tout simplement.* » Ce domaine à la limite entre les terres du Haut-Médoc et de Saint-Estèphe produit un vin à majorité de cabernet-sauvignon avec un gros tiers de merlot et un zeste de cabernet franc.

C'est un vin de très grande garde, réputé dans le monde entier, très bien charpenté, aux arômes d'épices, de cuir et de cassis. Le Château Gloria est quant à lui un cru de Saint-Julien, dont la part de cabernet-sauvignon atteint 65 % pour 25 % de merlot et 5 % de petit verdot et de cabernet franc. C'est l'un des premiers châteaux à avoir utilisé du petit verdot. Il possède des vignes assez âgées produisant un raisin remarquable. Exprimant des notes de fruits rouges et des tanins souples et élégants, son vin vieillit également excellemment.

Les crus bourgeois exceptionnels, les autres grands châteaux

*A*u nombre de neuf, les crus bourgeois exceptionnels représentent, hors du classement de 1855, ce qui se fait de mieux en matière de vin dans le Médoc. On y trouve le Château Chasse-Spleen, au nom évocateur et romantique, dont l'origine est mystérieuse, tantôt attribuée à Charles Baudelaire, tantôt à Odilon Redon. Son vin est constitué à 70 % de cabernet-sauvignon, 20 % de merlot et le reste en petit verdot. Il présente des arômes de fruits rouges, de chocolat et de cèdre. Le Château Haut-Marbuzet, appartenant au vignoble de Saint-Estèphe, jouit d'un prestige exceptionnel. Certains spécialistes considèrent qu'on devrait créer une nouvelle catégorie pour lui rendre justice. À l'équilibre habituel de la région, il préfère donner la parole au merlot, qu'il fait monter à 40 % de son assemblage : ses tanins n'en sont que plus voluptueux, libérant des arômes de fruits et d'épices très profonds.

Le Château Labégorce-Zédé, sur les terres de Margaux, exprime quant à lui des accents de prune et de mûre, et l'arôme du café fraîchement torréfié. Le Château des Ormes de Pez et le Château de Pez sont tous deux situés sur les terres de Saint-Estèphe. Le second a été racheté par la maison de champagne Louis Roederer.

Le Château Phélan-Ségur est aussi un saint-estèphe, de longue garde, aux arômes de fruits mûrs et de vanille, avec une belle onctuosité en bouche. Le Château Poujeaux est un moulis-en-médoc. Il est la propriété de Philippe Cuvelier. Il possède également le Château Clos Fourtet, qui produit un premier grand cru classé B de Saint-Émilion. Le Château Siran est un margaux, qui n'hésite pas à faire un usage prononcé du petit verdot pour l'élever sur certaines récoltes à 15 % de l'assemblage final. Il peut donner des notes de fruits rouges ou noirs selon son âge (il se garde très longtemps), épicées et boisées, avec des tanins souples.

Les crus de Bourgogne, l'autre grande région du vin

*L*a Bourgogne s'étend de Lyon, au sud, à Dijon, au nord, encadrée à l'est par la Saône, et à l'ouest par la Grosne et la ligne qu'elle tracerait si elle continuait sa course au sud. Historiquement, les vins de Bourgogne ont toujours entretenu une vive compétition avec les vins de Bordeaux : la fortune de ces derniers a été influencée par le fameux classement de 1855, mais les bourgognes n'ont rien à leur envier pour autant du point de vue de la notoriété.

À preuve, le prix moyen des bouteilles sur le marché mondial, qui atteint des sommes stratosphériques pour le grand cru Henri Jayer (Côte de Nuits) ou les romanée-contis (Côte de Nuits) tous deux au-dessus des 10 000 dollars la bouteille, quand les 8 bouteilles les plus chères en moyenne dans le monde sont des bourgognes, les côtes-de-Beaune arrivant aussi en bonne place dans ce classement.

La région cultive le vin depuis l'Antiquité. Les Romains trouvèrent des vignes plantées par les Gaulois à leur arrivée sur place. Les ducs de Bourgogne mirent l'accent pendant le Moyen-Âge sur l'obtention d'une production de qualité, dessinant les contours d'une tradition pluricentenaire pour les vins bourguignons. La notoriété du bourgogne était telle que le médecin de Louis XIV lui en prescrivit pour améliorer sa santé.

Au tournant du vingtième siècle, confrontée à l'épidémie de phylloxéra qui dévastait la France, la Bourgogne connut un problème très courant à l'époque : la multiplication des fraudes. Elle se groupa donc en coopératives et syndicats, et créa son propre classement des grands crus et premiers grands crus, en blanc comme en rouge.

Petit à petit, les noms des différents terroirs entrèrent dans la légende : nuits-saint-georges, beaune, vosne-romanée, romanée-conti, pommard, volnay, musigny, puligny-montrachet, meursault, chassagne, chablis, et d'autres encore.

Les meilleurs crus de Bourgogne en blancs, le fruité du chardonnay

*I*l serait difficile de faire la liste des grands crus de Bourgogne tant ils sont nombreux et se distinguent par la constance de leur qualité. Nous n'en citerons que quelques-uns.

Parmi les blancs, l'encépagement de la région est à dominante chardonnay, associé avec du pinot blanc. Les montrachets (puligny-montrachet ou chassagne-montrachet) sont des vins dorés aux arômes de fruits secs, d'épices et de miel, présentant une belle profondeur en bouche. Les meursaults sont plus verts, évoquent aussi le miel, avec des notes d'agrumes, de noisette et d'amande, et sont plus boisés. Les célèbres chablis, qui peuvent donner des vins premiers crus et grands crus, sont dans des tons dorés avec des reflets verts, oscillent entre des tendances minérales ou fruitées, explosant en bouche, très secs et très concentrés. Sur la rive droite du Serein, au nord-ouest de la Côte d'Or, ils se subdivisent en grenouille, bougros, les-preuses, blanchots, vaudésir, valmur, et les-clos, pour les grands crus. Il en existe encore une quarantaine d'autres pour les premiers crus.

Les crus du Mâconnais, même s'ils sont moins réputés, offrent une fraîcheur et une nervosité agréables. Ils sont constitués de chardonnay sans mélange, et n'ont pour seul défaut que de devoir être consommés assez jeunes, dans les trois ans après leur mise en bouteilles. Le pouilly-fuissé est le plus complexe d'entre eux, offrant en prime un léger goût de chêne. Le saint-véran est aussi assez intéressant.

Les meilleurs crus de Bourgogne en rouges, le tranchant du pinot noir

*P*armi les rouges, l'encépagement s'articule principalement autour du pinot noir, qui peut être utilisé seul ou assemblé avec du chardonnay, du pinot blanc et gris, mais dans des proportions très réduites (moins de 15 % du total). Si la côte de Beaune abrite les terres les plus propices à la production de vin blanc supérieur, c'est la côte de Nuits qui atteint à l'exceptionnel concernant le rouge. Les nuits-saint-georges sont asscz réputés, goûtant la cerise, la fraise, le cassis, et offrant des notes plus sauvages de truffe et de gibier ; ils ont une belle longueur en bouche.

Parmi les crus d'exception, citons les productions d'Henri Jayer, aujourd'hui décédé, mais qui a révolutionné les pratiques dans la région : producteur très exigeant, il a prêché pour un retour à la vigne et à une culture artisanale, mettant l'accent sur les petits détails – ainsi de l'éraflage du raisin, consistant, lors de la récolte, à ôter expressément les tiges pour éviter la formation de tanins verts et amers dans le vin. Sa production, confidentielle (à peine quelques milliers de bouteilles par an), se vend à prix d'or même pour les cuvées les plus récentes. Une vente des vins de sa cave orchestrée par Sotherby's a rapporté en février 2012 plus de six millions d'euros. Concluons enfin avec le romanée-conti, considéré par beaucoup comme le plus grand vin de Bourgogne. La production de ce cru ne dépasse pas les 6000 bouteilles par an, et sa mise à prix atteint elle aussi des sommets. Composé exclusivement de pinot noir, ce vin, délicat et puissant à la fois, s'articule en arômes épicés, de violette et de fruits rouges évoquant le sous-bois.

Le côtes-du-Rhône, un vin de caractère

*A*ppellation très ancienne, datant du dix-septième siècle, le côtes-du-Rhône est maintenant une AOC qui couvre toute la vallée du Rhône entre Vienne et Avignon. Bien que cette région soit moins connue que celles de Bordeaux et de Bourgogne, elle produit tout de même de très bons vins à partir d'encépagements différents de ses rivales, donnant à ses bouteilles une personnalité propre assez reconnaissable. Pour les blancs, la clairette, le grenache blanc, le bourboulenc, la rousanne et la marsanne sont parmi les nombreuses variétés utilisées dans la production ; pour les rouges, le grenache noir est le cépage principal, auquel on ajoute potentiellement de la syrah et du mourvèdre, du cinsault et du muscardin.

Les appellations dans cette zone sont très nombreuses, mais on peut citer notamment les productions du terroir de Châteauneuf-du-Pape, dont venait le célèbre baron Le Roy, qui fut à l'origine des appellations d'origine contrôlée. Le vin rouge est typique de la région avec 74 % de grenache. Ce cépage donne à tous ces vins des tanins puissants, rendant sa consommation plus appréciable après une garde de quelques années. Il exprime des arômes multiples, dominés par la prune, le cassis et les épices. Les blancs sont élégants et fins, offrant au nez des notes de narcisse et de chèvrefeuille. Le vin produit dans la zone de l'Hermitage est lui aussi réputé, notamment parce que les vignerons de cette région ont l'autorisation, tout comme dans le Jura, de produire du vin de paille, dont la fabrication est exceptionnelle. Le rouge, dans cette région, est fabriqué plus volontiers à partir de syrah, pour donner des vins aux arômes de fleurs et de fruits rouges, puis de cuir en vieillissant.

Les vins de la Loire, des blancs frais et fruités

Au fil de la Loire se découpent des terroirs intéressants du vin français, qui se divisent en trois zones principales : celle de l'ouest, autour de Nantes, celle de l'Anjou et du Saumur, autour d'Angers, et la Touraine. Dans toute la région, pour le vin rouge, c'est le cabernet franc qui constitue le cépage principal, souvent accompagné par le cabernet-sauvignon. C'est en quelque sorte un encépagement en miroir de celui du Bordelais. On trouve aussi du pinot noir et meunier, du gamay et du côt pour compléter les compositions. Pour le vin blanc, le chenin blanc a fait la célébrité des vins de Touraine et d'Anjou. Le sauvignon et le chardonnay sont assez présents également. Le melon, typique de la région, est le cépage unique de l'appellation muscadet. On peut citer encore la folle blanche, le pinot gris ou le romorantin.

Les producteurs de la Loire fabriquent des vins rouges légers, des vins blancs secs, liquoreux et effervescents, des rosés et des vins primeurs. Parmi les rouges, on peut noter le saumur-champigny, harmonieux et exprimant des fruits rouges délicats, le bourgueil, selon les cas fruité et léger, ou charpenté et tannique avec des notes d'épices, de réglisse et de framboise. Parmi les blancs, le muscadet est assez vif et fruité. Il est connu pour se marier parfaitement avec les fruits de mer. Le sancerre est très frais grâce à ses notes d'agrumes et de fleurs blanches. Le coteaux-du-layon est un représentant des vins liquoreux de la Loire, fabriqué exclusivement avec du chenin, autrement appelé pinot de la Loire. Il est très parfumé, de fruits frais et confits, de citronnelle et de miel. Enfin, citons l'anjou-fines-bulles parmi les vins effervescents de la vallée, lui aussi issu du chenin, mélangé à d'autres cépages plus classiques.

L'éclosion des vins du Languedoc

*I*ls ont longtemps souffert de la comparaison avec les productions des autres régions, et de la réputation, un moment non usurpée, de privilégier le rendement à la qualité (ils ont pu représenter jusqu'à 40 % de la production française en quantité). Les choses ont bien changé ces dernières années. C'est notamment la mise en place d'une politique active de production de vins basés sur des cépages uniques qui a permis le retour en grâce des vignobles du Languedoc. Parmi les appellations reconnues, on trouve les côtes-du-Roussillon, qui utilisent le grenache pour le rouge comme pour le blanc, la syrah, le carignan, la marsanne ou la roussanne. Les blancs légers qui y sont produits sont très fleuris ; les rouges, plus complexes, évoquent plutôt fruits cuits et épices. Certains peuvent atteindre un potentiel de garde intéressant. Le collioure est une autre appellation réputée de la région : il utilise à peu près les mêmes cépages, auxquels on peut ajouter le grenache gris et le macabeu pour les blancs. Ses blancs donnent un peu les mêmes caractéristiques : assez légers, nerveux, avec des notes de pêche. Ses rouges appellent plus directement les fruits rouges, vieillissent très bien et développent des arômes plus boisés.

D'autres crus jouissent d'une réputation plus ancienne. On peut citer la blanquette de Limoux, l'un des vins mousseux les plus vieux du monde. Et, bien sûr, le banyuls et le muscat de Rivesaltes. Ce dernier est un vin doux fabriqué à partir de cépages de muscat blanc et de muscat d'Alexandrie. Il a un goût de miel et de fruits secs fortement marqué et est assez sucré. Il se boit aussi bien à table qu'à l'apéritif. Le banyuls est réalisé à partir de grenache noir, principalement, auquel s'ajoutent grenache gris, malvoisie et muscat. Ce vin doux évoque lui aussi le miel, les épices et le tabac frais.

Les vins d'Alsace, le raisin blanc dans tous ses états

*L*e vignoble d'Alsace se déploie autour du Rhin sur une centaine de kilomètres. La région est surtout connue pour ses blancs et ses vins mousseux, tandis que sa production de rouge reste anecdotique. Les cépages qui sont utilisés ici rappellent plus l'Allemagne que les vignobles français : sylvaner, riesling, gewurztraminer. On retrouve cependant le pinot gris et le muscat. La sélection se fait en réalité en fonction des cépages qui sont capables de résister aux dures conditions climatiques que l'on trouve sur place.

Parmi les vins blancs qui ont fait la réputation de l'Alsace, on trouve l'altenberg-de-bergheim, réalisé principalement à base de gewurztraminer ou de pinot gris, assemblés ou séparément. Certaines bouteilles sont réalisées à l'aide de grains issus de vendanges tardives, sur lesquels on a laissé agir la pourriture noble. L'altenberg peut présenter des arômes de rose. Le kaefferkopf est un autre blanc connu, réalisé à partir de gewurztraminer, de riesling ou de pinot gris. Il est très aromatique et élégant, et présente une acidité intéressante. Le zotzenberg est un autre grand cru, qui se différencie des précédents par l'usage quasi exclusif de sylvaner dans son encépagement. Il est sec, comme la plupart des vins d'Alsace, modérément acide, mais fruité et racé.

N'oublions pas, au rayon des vins mousseux, le fameux crémant d'Alsace, qui est obtenu principalement à partir de pinot blanc, auquel on ajoute du pinot gris et du pinot noir, du riesling et du chardonnay. Il représente le quart de la production des AOC alsaciennes et connaît un grand succès à l'exportation. Servi frais, il révélera ses arômes de pomme, de poire et de fleurs blanches.

Vin de paille, vin de voile, vins jaunes : l'excellence du Jura

*L*a zone de production du Jura est assez étroite : elle s'étend sur le Revermont, sur 70 kilomètres de long pour 6 de large. En tout, elle ne dépasse pas les 2000 hectares. Elle n'est donc pas comparable en volume aux autres régions françaises, mais met l'accent sur une production de qualité. Tout comme l'Alsace, le vin du Jura est plus réputé pour son vin blanc, voire son vin jaune[1], que pour ses rouges, même s'ils existent. Le cépage dominant y est le chardonnay, bien que le savagnin y soit réputé donner aux vins locaux son goût unique, marqué par des arômes de noix puissants. Ce cépage n'existe en France que dans cette région, même si on le trouve aussi en Allemagne et en Suisse. Il est plutôt résistant, notamment aux maladies, comme la pourriture grise.

Les vins du Jura sont des vins de garde, ce qui est plutôt atypique pour des blancs, capables de présenter une

---

1. Voir « Les vins de voile, et le voile du mystère ».

certaine complexité, une belle acidité et une forte teneur en alcool. Le vin jaune accentue encore le goût de noix du savagnin, tandis que la production de vin de paille, capable de développer des saveurs très puissantes, peut amener à des bouteilles de très haute qualité.

La région connaît six appellations d'origine contrôlée : l'arbois, le côtes-du-Jura, le château-chalon, l'étoile, le macvin et le crémant-du-Jura, qui est l'équivalent du crémant-d'Alsace en pinot noir, poulsard, trousseau, savagnin et surtout chardonnay, qui doit représenter 50 % de l'assemblage en crémant blanc (il existe aussi un crémant rosé).

Les cuvées les plus célèbres ou la part du hasard

*I*l faut différencier les cuvées spécialement préparées par le producteur, qu'on appelle cuvées exceptionnelles et qui consistent en général en vins pour lesquels on a apporté un soin particulier à la confection, avec vendange à la main, sélection des meilleurs grains, affinage spécial, usage de fûts de chêne particuliers, etc. Ces cuvées sont signalées par le producteur. On connaît ainsi la cuvée Cristal du champagne Louis Roederer, dont la fabrication a commencé en 1876 pour le tsar de Russie Alexandre II.

Le champagne Veuve-Cliquot connaît aussi des cuvées millésimées du même type. La majorité des grands viticulteurs en réalisent.

Les autres cuvées célèbres sont identifiées comme telles par la qualité des récoltes qui leur correspondent. Elles sont largement aléatoires, en ce sens qu'elles dépendent de la météorologie, de l'ensoleillement et de la pluviométrie, de la survenue ou non de gel, etc. Ce n'est qu'à la fin de la vendange, le raisin une fois pressé, puis le vin arrivé à maturité, que l'on peut savoir, plusieurs mois, voire plusieurs années plus tard, quelle va être la qualité d'une cuvée pour un territoire déterminé.

Très récemment, l'année 2009 a été exceptionnelle à la fois pour les vins de Bordeaux, de Bourgogne et de la vallée du Rhône, tout comme l'année 2005. Ce fait est assez rare : en règle générale, les années exceptionnelles ne concernent qu'une, voire deux régions à la fois. Ainsi, la vallée du Rhône a connu une belle série en 1988, 1989 et 1990. Cette dernière année fut également bonne pour les bordeaux et les bourgognes. Quand 1996 fut une année formidable pour les bourgognes, elle fut seulement correcte pour les bordeaux ou les vins du Rhône. Selon la qualité du millésime, les bouteilles se négocieront ensuite plus ou moins cher, surtout parmi celles amenées à constituer des vins de garde. Pour les crus exceptionnels d'un certain âge, il n'existe pratiquement pas de limite de prix.

Les meilleurs crus étrangers

*I*l ne faudrait pas être chauvin au point de s'exclamer qu'il n'y a qu'en France qu'on peut produire de grands vins. Si le savoir-faire national remonte à plusieurs siècles, il n'est pas l'exclusivité de notre pays. Toutes les nations du Bassin méditerranéen, par exemple, ont, de par le développement des civilisations grecques et latines, eu l'occasion dès l'Antiquité de s'intéresser à la production de vin et de développer au fil du temps des techniques de plus en plus précises pour les affiner. Ces techniques ont voyagé lors des conquêtes et échanges commerciaux ou se sont retrouvées à l'identique d'un pays à l'autre par le génie d'expérimentations parallèles.

Ainsi, les Portugais fabriquent au même titre que les Français du vin de voile. Les Italiens, les Espagnols et les Grecs peuvent mettre au point des vins de très haute tenue, et les développements technologiques de ces dernières décennies sont venus combler les lacunes éventuelles de ces productions. L'Allemagne, l'Autriche, mais aussi la Suisse ont elles aussi profité des incursions romaines dans le nord de l'Europe, tout comme les pays de l'Est.

Sur les autres continents, la popularité croissante du vin comme boisson de table ou apéritive ces deux derniers siècles a encouragé le développement, dans tous les pays où le climat s'y prêtait, de vignobles qui ont acquis patiemment leur propre personnalité, pour amener à une spécificité régionale intéressante : l'Argentine, le Chili et le Mexique pour l'Amérique latine, les États-Unis avec la Californie comme fer de lance, l'Afrique du Sud et les pays du Maghreb, l'Australie et la Nouvelle-Zélande ont tous des vins qui valent maintenant le détour.

Les vins italiens en plein boom

*L*a production italienne est comparable à celle de la France ; elle l'a même dépassée il y a quelques années : aujourd'hui, elle est de 65 à 75 millions d'hectolitres pour 50 à 60 millions en France, tout comme la consommation par habitant est maintenant à l'avantage de l'Italie. On y retrouve une grande variété de cépages noirs et blancs, communs avec la France, ou spécifiques de certains terroirs. Le chianti est sans doute le vin italien le plus connu dans le monde. Originalement produit en Toscane, il ne provient plus nécessairement de cette région, alors que les vignerons cherchent à s'accaparer cette appellation pour mieux vendre leur vin.

Le vrai chianti résulte d'un assemblage complexe de plusieurs cépages : le sangiovese, le mammolo, le cannaiolo et auparavant certains cépages blancs, qui ne sont plus autorisés désormais. Les meilleurs chiantis développent des arômes de tabac, de cerise et de violette. L'asti spumante est un autre célèbre cru italien, un muscat mousseux au goût très caractéristique produit dans le Piémont. Le barolo est un vin rouge produit dans la même région à partir du nebbiolo, tout comme le barbaresco, son voisin. Le barolo est le « vin des rois, roi des vins » ; il est fruité, épicé et floral (violette). Le barbaresco y ajoute des notes de réglisse et de fumée. Le marsala est le vin le plus célèbre de Sicile. C'est un vin de liqueur fortement alcoolisé ; il existe en rouge et en blanc. Comparable au porto et au xérès, il est très doux et développe des arômes puissants. Le lambrusco est le digne représentant de l'Émilie-Romagne : c'est un rouge pétillant. Il est élaboré à partir du cépage du même nom. Il est très fruité, et son goût est long en bouche. De nombreux autres vins italiens se conservent mal et sont méconnus à l'étranger, mais valent la peine d'être découverts lors d'une visite transalpine.

Le xérès n'est pas le seul vin d'Espagne

L'Espagne possède la plus grande surface viticole du monde, bien qu'elle soit en constante baisse ces dernières années. Les Phéniciens, les Carthaginois, les Grecs et les Romains ont contribué à instaurer la viticulture dans le pays. Les cépages nationaux sont très variés ; ils peuvent différer fortement d'avec ce qu'on trouve en France. L'Espagne produit de nombreux vins, célèbres dans le monde entier. Le xérès est sans doute le premier d'entre eux par la notoriété. C'est un vin muté à l'eau-de-vie, qui prend le nom de sherry en Angleterre. Il est produit à partir des cépages de palomino fino (ou listan), de pedro ximenez et de muscat, et il est élaboré au moyen d'un procédé complexe, impliquant la formation d'un voile à la surface du vin pendant son processus de maturation. On lui connaît une variante régionale, à Sanlùcar de Barrameda, sous le nom de manzanilla. Utilisé principalement comme apéritif, le xérès peut aussi se marier avec de nombreux plats selon ses différentes variétés. Le xérès est boisé, avec une pointe d'acidité et un soupçon de pomme.

Produit dans la vallée de l'Èbre, le rioja est le vin rouge le plus réputé d'Espagne. Il résulte d'un assemblage de tempranillo, de grenache noir, de mazuelo (le carignan en France) et de graciano, et est vieilli en fût de chêne. Il peut exprimer des notes de fruits noirs (mûre, cerise juteuse, myrtille), de caramel, de fleurs, d'épices, de chocolat et de réglisse. Les producteurs de rioja mettent aujourd'hui l'accent sur leurs vins blancs.

Le priorat est un autre vin espagnol célèbre issu du territoire catalan. Il utilise dans son encépagement du grenache, de la syrah et du cabernet, ce qui en fait le vin espagnol le plus comparable à ce qui se fait en France. Cerise noire, réglisse, fleurs, café et épices légères caractérisent le priorat, qui jouit d'un grand prestige et est produit en assez faible quantité. Citons enfin l'appellation Ribera del Duero, en Castille et Léon, qui a gagné un certain prestige ces dernières décennies avec ses vins rouges de caractère.

Un petit tour d'Europe

Nous avons déjà parlé du Portugal à travers son porto, lequel, cependant, ne représente que la moitié de la production du pays qui compte des vins rouges assez intéressants. L'Allemagne est le huitième producteur mondial et le quatrième de l'Union européenne. Son climat frais rend la culture du raisin délicate et adaptée seulement à des cépages spécifiques, que l'on retrouve en Alsace. Autour du riesling, dominant outre-Rhin, l'Allemagne produit surtout des vins blancs, secs, liquoreux ou mousseux. La région de l'Hesse-Rhénane est réputée pour ses vins blancs fins et racés, très harmonieux.

On retrouve le même genre de productions en Autriche et en Suisse, qui ont un climat comparable. L'Autriche produit cependant certains rouges très structurés dans sa région frontalière avec la Hongrie qui, elle, est bien connue pour son tokay, mais ne s'y limite pas : elle cultive de très nombreux cépages et possède plus d'une vingtaine de terroirs. La Slovaquie produit elle aussi du tokay, qui est son vin le plus connu. La Roumanie est le premier producteur de vin d'Europe centrale et neuvième producteur mondial juste derrière l'Allemagne.

On y trouve des cépages classiques aussi bien que des variétés locales. Le pays souffre, pour le vin, d'un certain désintérêt de sa population, qui lui préfère la bière ou le schnaps. On y consomme en revanche beaucoup le vin blanc coupé à l'eau gazeuse. En raison de son climat favorable, la région est cependant promise à un bel avenir dans les décennies qui viennent.

En Grèce, le raisin est cultivé pour moitié comme fruit de table. Les cépages y sont très divers, comprenant les grandes variétés comme d'autres moins connues comme l'assyrtiko (qui donne un goût très fruité aux vins blancs auxquels il participe), l'agiorgitiko ou le xynomavro (un cépage noir assez noble).

Sous les latitudes africaines

*N*ous allons parler ici de deux régions diamétralement opposées du continent africain : l'Afrique du Nord, avec notamment l'Algérie et le Maroc d'un côté, et l'Afrique du Sud de l'autre. Dans le Maghreb, la consommation de vin est en hausse ces dernières années, et la production, à un coût encore bas, fournit des bouteilles pour l'exportation. En Tunisie, grâce au tourisme, les vignobles de Carthage, concession d'État, remportent un franc succès. L'Algérie, l'Égypte, mais aussi d'autres pays au Moyen-Orient (la Jordanie, le Liban et la Syrie) ont suivi cet exemple. L'Algérie était il y a quelques décennies une grande productrice, mais elle peine à redémarrer son activité viticole. Au Maroc, la production est principalement centrée autour de Meknès et se situe autour de 40 millions de bouteilles par année. Les cépages cultivés y sont le cinsault, un noir français qui s'épanouit sous les fortes températures, le carignan et l'alicante bouschet, pour les mêmes raisons. La modernisation des techniques de fabrication qui est intervenue au cours des dernières années a permis de rendre les vins rouges un peu plus légers et d'améliorer leur potentiel de garde. Le Maroc produit aussi à partir du sauvignon des vins blancs qui commencent à se faire connaître. Les vins marocains gagnent peu à peu leurs entrées parmi les bouteilles de grande qualité.

En Afrique du Sud, l'introduction de la viticulture remonte au dix-septième siècle. Elle est l'œuvre de huguenots français qui se sont installés dans la région. Le pays est septième producteur mondial, devant l'Allemagne, mais n'est que seizième en superficie cultivée. Ce différentiel s'explique par une grande disparité dans la production : les vins peuvent être de très haut standing comme être faibles du fait d'une tendance à tirer le plus haut rendement possible des vignes. Comme tous les pays de l'hémisphère Sud, l'Afrique du Sud voit le cycle du raisin inversé par rapport aux pays du nord, pour des récoltes en avril-mai. Les districts de Stellenbosch et de Parl produisent des vins de qualité qui valent le détour.

La ruée vers l'or chilien

Avec un climat idéal pour la production de grands vins et une inexplicable (mais bienvenue) résistance locale au phylloxéra et au mildiou, le Chili a attiré de nombreux Français à la recherche d'expansion ou de nouveaux défis. En effet, la résistance à ces maladies laisse envisager des vignes capables de développer pleinement leur potentiel en vieillissant. La famille Rothschild a par exemple acquis des terres sur place, tout comme la famille Dassault, ainsi que les exploitants de Grand Marnier et de chablis. Le pays a fourni de gros efforts ces vingt dernières années pour harmoniser sa réglementation et mettre en place des appellations d'origine contrôlée. L'encépagement en rouge est principalement à base de cabernet-sauvignon, de merlot et de carménère (un noir du bordelais) ; en blanc, c'est encore classique avec du chardonnay et du sauvignon. Le Chili est un des grands producteurs mondiaux aujourd'hui.

On peut citer, au nombre de ses bouteilles les plus connues, l'Almaviva, fruit d'une association entre le premier producteur local, Concha y Toro, et la maison Rothschild ; les vins d'Aurelio Montes, l'un des meilleurs œnologues du Chili ; le santa-rita, un vin rouge très puissant, qu'il faut arriver à dompter ; ou le don maximiano, un vin rouge aux arômes de muscade et de fruits noirs.

Autres promesses d'Amérique du Sud

L'Argentine est actuellement le cinquième producteur de vin au monde, mais n'exporte que très peu de bouteilles à l'étranger. Les critères de qualité ont également été revus à la hausse ces dernières années, même si beaucoup de vignerons y privilégient encore la quantité à la qualité. Les vins blancs sont issus des cépages de chardonnay, sémillon, sauvignon, viognier et d'une variété locale, le torrentés, qui donne des vins très frais aux parfums d'agrumes et d'épices et au goût proche du muscat. Pour les rouges, ce sont les malbec, cabernet-sauvignon, tempranillo et bonarda (un cépage noir italien) qui constituent le gros de l'encépagement. Parmi les grands vins argentins, on trouve le catena, du nom de son producteur, un rouge d'assemblage intéressant ; l'Alta Vista, né d'une collaboration avec des vignerons français, sur de vieilles vignes de malbec ; le Clos de los Siete est aussi produit par des Français, des Bordelais, en collaboration avec des investisseurs, dont les Rothschild ; le Cheval des Andes fait quant à lui un clin d'œil direct au Château Cheval-Blanc, puisqu'il est produit par la même direction.

Le Brésil a longtemps souffert d'une absence complète de culture viticole et d'une consommation très réduite. Il est maintenant le troisième producteur du continent, derrière le Chili et l'Argentine, grâce à l'apport de vignerons européens venus s'installer sur place. Le groupe Pernod-Ricard a par exemple beaucoup investi dans la région Nord du pays.

Les vins brésiliens commencent à obtenir une certaine reconnaissance dans le Sud, ou au rayon des vins effervescents, mais devraient voir leur standing exploser dans les prochaines années, le temps que les changements apportés deviennent visibles.

Les vins du Pacifique

L'Australie est actuellement le quatrième exportateur mondial de vin, avec un marché en très forte croissance. Historiquement, c'est la syrah qui tient la place de choix parmi les cépages de rouge sur place, devant le cabernet-sauvignon, même si on en trouve une grande variété, tout comme pour les blancs, venus de tous les pays (France, Italie, Espagne) où le chardonnay tient une place importante. Les rouges produits sur place ont beaucoup de caractère et sont assez corsés. La syrah donne cette enveloppe contrastée, accompagnée d'un fruit intense. Les vins de Peter Lehmann ou de Charles Melton sont réputés pour leur qualité et leur finition. L'Australie profite en général de vignes assez âgées qui rehaussent la qualité de ses vins. La maison Penfolds produit des vins aussi bons en rouge qu'en blanc.

La Nouvelle-Zélande a aussi vu décoller son négoce à juste titre ces 25 dernières années. Les vins blancs de la région de Marlborough, dans l'île du Sud, sont extrêmement réputés, sans doute capables de rivaliser, en sauvignon, avec les meilleurs bordeaux. Des vignerons et investisseurs européens ont envahi ce terroir, dès qu'ils en ont compris les mérites, dans le courant des années 1990. Le chardonnay et le pinot noir donnent aussi d'excellents résultats dans cette région au climat idéal, marqué par les entrées maritimes. L'île du Nord possède également un terroir d'exception dans la région d'Hawke's Bay. Cloudy Bay est, en sauvignon blanc, la marque qui fait référence sur l'île. En chardonnay, ce sont les vins de Kimeu River qui développent en vieillissant un arôme épicé très agréable. Le Eask Valley Terraces représente à merveille le merlot, tandis que le Vidal Estate fait de même pour la syrah.

Sous le soleil de Californie

*M*ême si la Californie fait figure d'épou-
vantail dans ce pays, il existe actuellement des vignobles dans les 50 États
américains. L'Oregon, l'État de Washington et l'État de
New York ont des productions tout à fait notables, mais
il est vrai que la Californie cumule à elle seule 90 % du
total réalisé sur le territoire américain. L'introduction de
la vigne *Vitis vinifera* par les Européens remonte à loin –
les espèces présentes sur le sol américain donne des raisins
impropres à la consommation –, mais les divers aléas de
l'histoire, comme l'épisode de la prohibition, ont rendu
le développement de la filière aléatoire. Le zinfandel est
le cépage californien par excellence, mais on retrouve
toutes les stars de la vigne française : cabernet-sauvignon,
cabernet franc, pinot noir, merlot, sauvignon, chardonnay.
Citons également les *Rhone Rangers*, ces passionnés qui
veulent implanter les cépages du Rhône en Californie.
La diversité du climat à l'intérieur même de la Californie
a permis également d'importer dans le Sud la syrah, le
grenache, le carignan, le barbera ou le sangiovese. Sur la
côte est, les rudes hivers ont amené à donner la préférence
à des cépages comme le riesling ou le gewurztraminer.
Aux États-Unis, les vins sont travaillés majoritairement
en monocépages (hors assemblages). C'est ce qui a longtemps retenu les vins de Californie en deçà des crus de très
haute qualité. Cependant, les assemblages commencent
petit à petit à se tracer un sillon. Certains Français ont
investi aux États-Unis, notamment les grandes maisons
du champagne (Moët-Hennessy, G. H. Mumm), pour
lutter contre les imitations (l'appellation champagne n'est
pas protégée légalement aux États-Unis).

La production mondiale : ce que disent les chiffres

L'Europe domine encore largement les débats pour ce qui est de la production mondiale de vin. La France et l'Italie se disputent la première place, autour de 60 millions d'hectolitres par an et plus, l'Espagne suivant de près avec une cinquantaine de millions (ces pays représentent près de la moitié de la production mondiale à eux trois). Derrière, c'est bien plus bas que l'on retrouve les États-Unis avec une vingtaine de millions, suivis de l'Argentine et de l'Australie qui se tiennent et dont le classement respectif varie selon les années aux alentours de 15 millions d'hectolitres.

La Chine s'est taillé une place dans ce classement en dépassant les 10 millions d'hectolitres, mais les vins chinois ont encore à progresser pour être comparables à la concurrence et sont principalement destinés au marché intérieur. L'Afrique du Sud et l'Allemagne ont une production à peu près équivalente, dans les 10 millions, tandis que le Chili et le Portugal en ont une de 7 millions chacun. Au-delà, on trouve la Roumanie, la Hongrie, la Grèce, la Russie, le Brésil, la Suisse et le Canada. À l'exportation, on retrouve les mêmes aux trois premières places, suivis par l'Australie et le Chili, les États-Unis, l'Argentine et l'Allemagne.

La consommation mondiale : qui sont les plus gros buveurs ?

*S*i la France reste le plus gros pays exportateur de vins au monde, et l'un des plus gros consommateurs avec 56 litres consommés par an et par habitant (la palme revenant au Vatican, avec 62 litres par habitant, et Andorre, avec 60 litres), la consommation de vin en France chute fortement d'année en année, avec une part de consommateurs réguliers passant de 51 % en 1980 à environ 17 % aujourd'hui.

Dans le monde, les pays européens (comme l'Italie, l'Espagne, la Suisse, le Portugal ou encore l'Angleterre et le Luxembourg) restent de grands consommateurs de vin, et ce, malgré une baisse de la consommation. Mais ce sont les autres régions du monde qui tirent la consommation, et donc la production, à la hausse, après quelques années de chute. Ainsi, la consommation mondiale est estimée à 241,9 Mhl en 2011, soit 1,7 Mhl de plus qu'en 2010, pour une progression de 0,7 %.

Premier pays consommateur en termes de quantité, les États-Unis sont un marché en pleine explosion, avec une consommation de 311,3 millions de caisses de 9 litres en une année, et une croissance d'environ 10 % d'ici 2015. Les Américains sont déjà les plus grands consommateurs de vins tranquilles, devant l'Angleterre et la France.

Mais le marché qui devrait prendre la plus grande importance se situe en Asie, avec comme plaque tournante Hong Kong, qui a vu sa consommation de vin augmenter très fortement, avec une croissance de 140 % entre 2006 et 2010. Si cette croissance devrait ralentir, aux alentours de

54 % jusqu'en 2015, elle n'en demeure pas moins un débouché très important pour tous les pays producteurs, Europe en tête. Et la Chine est bien entendu le marché qui évolue le plus rapidement, avec notamment une consommation importante de vin au prix moyen élevé. Elle devrait se placer dans le top 5 des plus gros consommateurs dans quelques années.

Le vin a ainsi de l'avenir devant lui, aidé en cela par les deux plus grandes économies mondiales. Mais il faudra compter également sur les pays émergents, comme l'Afrique du Sud et le Brésil, dont la consommation devrait fortement augmenter dans la prochaine décennie.

De la vigne
à la bouteille

*I*l est temps d'entrer un peu plus en détail dans la fabrication du vin pour comprendre ce qui se déroule tout au long du processus qui conduit de la vigne à la bouteille. Avant la récolte, et tout au long de l'année, l'entretien de la vigne, sa taille et sa conduite sont essentiels pour maîtriser le processus de maturation.

On taille la vigne pour qu'elle n'ait pas un développement anarchique, on effectue un palissage (en attachant les branches à des fils courant le long des vignes), afin de mieux exposer les baies au soleil. La taille permet également de diminuer le nombre de grappes par vigne sur les cépages à haut rendement, de manière à augmenter la teneur en sucre et la qualité des raisins restants.

La vendange peut s'effectuer principalement de deux manières : mécaniquement ou manuellement. La récolte mécanique se fait avec une machine à vendanger, une sorte de tracteur surélevé aux roues largement écartées, entre lesquelles se trouvent les bras mécaniques qui viennent faucher le raisin.

En raison du peu de tri dont la machine peut faire preuve, les récoltes qui en découlent sont réservées au vin de moyenne qualité.

Les vendanges manuelles ont quant à elles pour but d'obtenir un tri plus fin, avec moins de rafles (tiges sur lesquelles pousse le raisin, qui peut donner une certaine amertume au moût) et de feuilles. Le moût est constitué en grande partie d'eau, de sucre (sur lequel nous allons revenir), de minéraux divers, de matières azotées (qui, consommées par les levures, disparaissent presque totalement au cours de la macération) et d'acides, certains propres aux parties vertes de la vigne (acides tartrique, malique, citrique), d'autres, non (acides sulfurique, chlorhydrique, phosphorique).

Ils font varier la dureté du vin, mais ont un rôle essentiel pour éviter le développement des bactéries de toutes sortes. Il y a également dans le moût des matières peptiques, colorantes et odorantes : toutes sont importantes pour caractériser le bouquet du vin et sa personnalité.

La teneur en sucre, un repère pour le consommateur

*L*a teneur en sucre d'un vin dépend de nombreux facteurs. Elle est réglementée en Europe comme dans la plupart des pays du monde. Les vins sont classés selon le taux qu'ils présentent en sucre : sec (pour un taux inférieur à 4 grammes par litre), demi-sec (pour 4 à 12 grammes), moelleux (pour 12 à 45 grammes) et doux (pour des taux supérieurs à 45 grammes). Cette classification caractérise la concentration en sucres résiduels. Ils ne sont pas ajoutés dans le vin ; ce sont les sucres qui restent une fois que le processus de fermentation est terminé ou qu'on l'a arrêté. Il est interdit, pour les vins de qualité, de rajouter du sucre. Ce procédé existe, mais il est très réglementé. Il s'appelle la chaptalisation, du nom de son inventeur Jean-Antoine Chaptal. Il est utilisé pour augmenter le degré d'alcool d'un vin au cours de la fermentation. Le moût du raisin contient cependant naturellement du sucre, lequel est consommé par les levures qui le transforment en alcool. Tous les moûts issus des récoltes ne sont cependant pas également sucrés : le taux dépend du type du cépage, de son degré de maturité et de l'ensoleillement qu'il a reçu pendant sa croissance.

Dans certains cas, on retarde volontairement la récolte jusqu'à surmaturité du raisin pour qu'il soit plus sucré, voire jusqu'à ce qu'il soit touché par la pourriture noble (*Botrytis cinerea*), une dégradation recherchée parce qu'elle concentre encore le sucre dans le jus. Ce type de raisin est généralement utilisé pour produire les vins blancs liquoreux, riches en sucre. On peut encore faire varier le taux de sucre final selon le moment où l'on arrête la fermentation : ainsi, le mutage, qui consiste à ajouter une dose d'alcool pur dans le vin pour tuer net les levures restantes et arrêter la fermentation, permet de garder un taux de sucre résiduel élevé. C'est le cas notamment des portos, xérès, marsala, banyuls, rivesaltes, etc.

Le vieillissement : de l'usage du fût de chêne

Le vieillissement suit la phase de fermentation. Il peut se réaliser en cuve d'acier ou en fût de chêne. Le fût de chêne est préféré pour les vins qu'il est nécessaire d'élever et qui vont affiner leur personnalité pendant le processus. Le vieillissement en fût de chêne est plus compliqué. Du fait de la porosité du bois, une certaine évaporation est constatée, qu'il faut pallier si l'on veut éviter le piquage (dû à la présence d'oxygène) : on doit donc remplir régulièrement le fût. Mais le contact du vin avec le bois est très important pour développer son goût et pour modifier les tanins, notamment dans le vin rouge. Le chêne peut apporter des arômes boisés au vin, des notes de vanille, de tabac, de café ou de cacao.

Le processus est plus sensible pour le vin blanc, qui risque d'y perdre de la fraîcheur, mais gagne des notes boisées et de tabac plus claires. Le choix du bois en lui-même est important, parce qu'il modifie fortement le goût : il doit être noble, mais, en raison de sa tendance à abriter des bactéries, il doit souvent être changé d'une année ou d'une récolte à l'autre, au bout du processus d'élevage d'une cuvée. Ce processus d'élevage peut durer de un mois à un an en moyenne, selon le type de vin. L'élevage en fût de chêne est choisi pour des vins destinés à la garde : dans un premier temps, il apporte un goût boisé très présent, mais, lorsque le vin s'arrondit, vieillit et que ses tanins s'assouplissent, il peut développer toute sa palette aromatique pour un résultat au-delà de ce qu'on peut atteindre d'une technique raccourcie, plus industrielle. Une fois l'élevage fini, on met le vin en bouteilles. La fabrication peut comporter une étape supplémentaire pour les vins effervescents. Les bouteilles sont conservées en cave et tournées régulièrement pour éviter la formation de lie.

Les sulfites, une bénédiction
à utiliser avec modération

Le SO2, dioxyde de soufre, ou anhydride sulfureux, est peut-être le seul additif essentiel aujourd'hui à la production du vin. Son emploi s'est imposé dans le courant du dix-huitième siècle avec la généralisation de la mise en bouteilles pour conserver le vin. Les levures en produisent naturellement pendant la fermentation alcoolique. Le SO2 est utilisé

comme antiseptique, antioxydant et antibactérien naturel qui limite l'action des bactéries acétiques, responsables de la dégradation du vin en vinaigre. Il agit en fait comme conservateur en figeant la flore microbienne du vin et en encourageant seulement l'action des levures pour la fermentation.

Il est parfait pour éviter toutes les mauvaises surprises, que ce soit l'oxydation rapide par la présence de pourriture grise sur les grains de raisin, ou la dégradation de l'arôme par l'action de bactéries. Enfin, il a aussi pour effet de clarifier le moût du vin blanc. Les viticulteurs doivent cependant veiller à ne pas en mettre trop dans leurs vins, notamment parce qu'il peut provoquer des réactions chez les personnes souffrant d'asthme.

Au-delà d'une dose de quelques centaines de milligrammes par jour, les sulfites peuvent être nocifs pour la santé, et l'Union européenne voit régulièrement les quantités autorisées à la baisse.

Au rayon des autres additifs, on trouve l'acide tartrique, qui sert à acidifier les vins insuffisamment charpentés, trop mous. À l'inverse, on peut traiter un excès d'acidité, qui rend le vin très dur, par l'ajout de tartrate de sodium (la base de l'acide tartrique). En France, il est impossible de pratiquer conjointement l'acidification et la chaptalisation. Il faut choisir entre les deux procédés.

La vinification, un processus très technique

*L*a vinification consiste tout d'abord à érafler puis fouler et pressurer le raisin pour obtenir le moût liquide. Puis il faut mettre le moût en cuve afin qu'il se transforme en vin par l'effet naturel des levures qu'il contient : la macération. C'est une opération délicate, au cours de laquelle il faut conserver une température constante (entre 26 et 32 °C) et éviter le contact du moût avec l'oxygène qui pourrait le piquer (l'oxyder). L'action des levures dégage du gaz carbonique qui est emprisonné dans la cuve de façon à éviter ce phénomène : on compense les pertes de l'évaporation en ajoutant du moût ou du vin.

Lors du processus de vinification, on peut ajouter certaines étapes, notamment pour les vins rouges, afin d'en intensifier le goût. Ainsi, après les premières étapes de pressurage et de débourbage, qui permettent de séparer dans le moût les parties solides des parties liquides, on peut agir pour amener une meilleure circulation et mise en contact de ces différentes parties dans le vin rouge : ainsi, le remontage consiste à récupérer les parties solides qui coulent au fond de la cuve pour les réintroduire à la surface du liquide. Elles peuvent ainsi accomplir à nouveau leur longue descente au cours de laquelle, dégageant tanins et arômes, elles seront en contact avec le vin en train de se faire.

Le délestage est une autre variante, plus vigoureuse, de cette opération. Le pigeage consiste au contraire à enfoncer le marc qui flotte à la surface (une partie des particules solides qui ne coule pas) en le déchiquetant pour obtenir le même résultat d'un meilleur mélange avec le liquide.

En fin de fermentation, on peut également avoir recours à la fermentation malolactique (ou l'empêcher). Elle permet de transformer l'acide malique en acide lactique. Cela permet de diminuer, à l'aide des bactéries qui y sont présentes, légèrement – et naturellement – l'acidité du vin si elle est trop élevée.

La mise en bouteilles, la révolution venue d'Angleterre

Après la fermentation, on passe à la filtration, qui consiste à séparer les particules de matière solide restées en suspension du vin proprement dit (dans le cas du vin rouge, il s'agit de tout le moût qui a été laissé jusque-là). Le vin est alors mis en bouteilles. Bien qu'existant de longue date, la bouteille n'a été utilisée régulièrement qu'à partir du seizième siècle. Auparavant produit coûteux réalisé par les maîtres verriers, elle connaît une révolution lorsque le diplomate anglais Sir Kenelm Digby (qui fut tour à tour pirate, espion, diplomate et écrivain) met au point la bouteille de vin proprement dite en 1632. C'est la première fois qu'on fabrique au four une bouteille fonctionnelle, résistante (renforcée par une bague au goulot) et bon marché. La bouteille est suffisamment solide pour qu'on lui appose un bouchon de liège, qui est idéal pour la conservation du vin.

À la suite de cette découverte, la bouteille va connaître de nombreuses évolutions au fil des années et va se particulariser en fonction des régions. Il existe une bouteille « bordelaise » pour les vins de Bordeaux, « bourguignonne » pour les vins de Bourgogne, la « flûte » pour les mousseux d'Alsace, le « clavelin » pour les vins jaunes du Jura, etc. La bouteille se divise en général en cinq parties : la bague qui ferme le goulot, le col qui se termine par l'épaule, marquant son évasement sur le fût, partie la plus large de la bouteille, jusqu'au fond qui peut avoir plusieurs formes : plat, piqué (creusé vers l'intérieur de la bouteille) ou semi-piqué. Il est conseillé de conserver couchées les bouteilles fermées par un bouchon en liège, pour conserver ce bouchon hydraté et ainsi éviter qu'il ne se dessèche et devienne poreux, ce qui amène le risque d'une oxydation par la pénétration d'oxygène à l'intérieur de la bouteille.

Le bouchon ou le charme suranné du liège

*L*e bouchon de liège est le plus communément utilisé historiquement pour les bouteilles de vin. Les Grecs connaissaient déjà son usage pour fermer leurs amphores. Le bouchon est de nos jours un produit aux dimensions normées. Il existe un risque que le liège, en se dégradant, ne donne au vin le fameux « goût de bouchon ». Des scientifiques ont trouvé la molécule responsable de ce goût désagréable : il s'agit du TCA (2, 4, 6-trichloroanisol). Il est possible de débarrasser le liège de ce TCA en le traitant au CO_2 à l'état supercritique.

Ces dernières années, on a vu une nette progression des bouchons synthétiques pour fermer les bouteilles de vin. Ils évitent le risque de contamination par le TCA et sont suffisamment souples pour permettre au vin de respirer. Cependant, ils ne représentent pas la solution miracle : il arrive qu'ils provoquent l'oxydation du vin et peuvent lui donner un goût de pétrole très désagréable au bout d'un certain temps (au-delà d'un an et demi). Les bouchons hybrides Vinova représentent la dernière évolution des bouchons synthétiques et sont censés résoudre ces problèmes dans un proche avenir.

Le tire-bouchon, instrument essentiel accompagnant le bouchon en lui-même, a été inventé, tout comme la bouteille moderne, par les Anglais, eux qui devaient résoudre le problème de la conservation et du transport du vin pour pouvoir le savourer. Le premier brevet déposé en la matière fut accordé à Samuel Henshall en 1795.

Maturité et rendement du raisin : le repère du chasselas

*L*a maturité du raisin dépend en grande partie du cépage, certains étant très précoces, d'autres beaucoup plus tardifs. Pour se donner une mesure commune qui ne dépende pas du calendrier – les dates des vendanges variant énormément avec les années, la pluviométrie et l'ensoleillement, et même le réchauffement climatique (qui les fait intervenir de plus en plus tôt dans l'année) –, on a pris comme référent le chasselas, un cépage blanc français très précoce. On dit d'un cépage auquel on le compare que sa maturité survient tant de semaines avant ou après celle du chasselas. Ainsi, pour le chardonnay, on dira « maturité de première époque » une semaine et demie après le chasselas ; « de deuxième époque » pour le merlot, deux semaines et demie après le chasselas, etc. Selon le vin que l'on désire produire, on ramassera le raisin juste à maturité (pour le beaujolais, par exemple), en attendant sa maturité pleine, ou même en la dépassant et en allant à surmaturité, voire en attendant la pourriture noble (pour les vins liquoreux).

Le rendement du raisin est mesuré en kilogrammes par hectare ou en hectolitres de vin produit par hectare (il faut multiplier ou diviser par 160 en moyenne pour passer de l'un à l'autre). En France, le rendement est contrôlé. De lui dépendent la qualité du raisin et son usage final. En moyenne, le rendement est de 60 hectolitres par hectare sur le territoire français, mais il descend à 50 pour les AOC, voire à une vingtaine pour les vins doux naturels dont on fait sécher le raisin afin de le concentrer en sucre. Il peut monter au contraire à 100 hectolitres pour le raisin que l'on destine à produire des eaux-de-vie, comme le cognac et l'armagnac.

Les mille et une manières de pratiquer l'assemblage

L'assemblage consiste à sélectionner et réunir les meilleurs cépages pour affiner le goût du vin final, ses arômes, son acidité ou ses tanins. Dans la région de Bordeaux, l'assemblage se pratique principalement entre cabernet-sauvignon, merlot, cabernet franc, pour le vin rouge, sémillon, sauvignon, muscadelle, pour le vin blanc. La Bourgogne, au contraire, n'a que peu recours à l'assemblage. Dans le Rhône, c'est un assemblage totalement différent qui est pratiqué : grenache, syrah, cinsault, carignan, pour les rouges, grenache blanc, clairette et bourboulenc, pour les blancs.

L'assemblage découvert par Dom Pérignon, est aussi très largement pratiqué pour les vins mousseux. Il n'a pas toujours été le fait des exploitants eux-mêmes. Au préalable – et encore aujourd'hui –, c'étaient les négociants en vin qui assemblaient directement les vins entre eux, mariant les crus en monocépages pour obtenir des vins plus savoureux, ou, plus cyniquement, mélangeant certains bons vins avec d'autres moins prestigieux pour les diluer ou en augmentant leur degré d'alcool (et ainsi en retirer plus de bénéfices). C'est pour cette raison que la mention « mis en bouteilles à la propriété » a commencé à connaître un certain succès, car elle garantissait que le vin n'avait pas été manipulé après sa fabrication.

Les différents modes de macération, l'autre touche technique

*I*l existe de nombreux procédés différents de macération qui ont été mis au point petit à petit à mesure que la science et la technique du raisin se développaient. On parle de macération pré-fermentaire lorsque, avant la fermentation, on prépare le moût afin d'en extraire couleur ou arômes : elle peut se faire à chaud, entre 60 et 75 °C, ou bien à froid, aux alentours de 18 °C, en bloquant la fermentation pour améliorer les transferts, en général en présence d'un gaz inerte pour éviter l'oxydation.

La macération pelliculaire consiste, dans le cas des vins blancs, à laisser les pellicules de raisin en contact avec le jus pour en extraire plus d'arômes. La macération carbonique, procédé sans doute le plus connu et le plus utilisé, correspond à une vinification du vin rouge, où on fait fermenter les raisins non foulés (non écrasés) dans une cuve saturée en gaz carbonique, qu'il soit produit naturellement par le processus ou qu'il soit injecté pour éviter l'apparition d'oxygène. La fermentation a ainsi lieu à l'intérieur du raisin (elle est intracellulaire), à faible température (autour de 18 °C). Les raisins sont ensuite écrasés, le jus, tiré et mis en fût. Les vins obtenus avec cette technique sont assouplis et expriment des notes de fruits plus marqués, mais se gardent moins longtemps. Le beaujolais est l'un des exemples de vins pour lesquels on peut utiliser ce procédé. Citons enfin la macération finale à chaud, qui consiste à augmenter la température d'un vin rouge après fermentation jusqu'à 50 °C pendant plusieurs heures, voire plusieurs jours pour améliorer sa coloration en favorisant la dilution des tanins dans le liquide.

La taille de la vigne et son palissage, c'est tout un art

*L*a vigne doit recevoir tous les soins en permanence pour donner le meilleur raisin possible. On sait que les greffes sont régulières, notamment depuis les premières épidémies de phylloxéra. C'est seulement grâce à elles que les vignes ont pu survivre. Mais la taille revêt aussi une importance fondamentale. Elle a lieu en hiver, après les vendanges, pour enlever les sarments inutiles, pendant que la vigne se repose. Elle a également lieu en été. On l'appelle alors taille en vert et consiste à supprimer les sarments qui ne portent pas de raisin (surnommés « les gourmands »). La taille a aussi pour finalité de donner une orientation à la vigne.

Ainsi, la taille Guyot, sans doute la plus connue et la plus pratiquée des tailles de vignes, consiste à couper toutes les branches pour n'en laisser qu'une seule de l'année écoulée (taille Guyot simple) ou deux (taille Guyot double), en fixant les sarments sur les fils parallèles qui courent entre les vignes : c'est le palissage.

De cette manière, la vigne pousse avec un guide, et les rangées entre les vignes restent nettes et praticables. D'autre part, elle porte moins de grappes, mais elles sont plus grosses (et les raisins sont plus chargés en sucre).

Il existe énormément de tailles différentes, selon les régions et les buts recherchés, qui prennent toutes des appellations enchanteresses ou mystérieuses : taille en éventail, taille Kniffin à quatre bras, taille à queue du Mâconnais, taille en tête de saule, taille en archet ou en cordon, taille en lyre ou en palmette, taille en quenouille ou en gobelet, et bien d'autres encore.

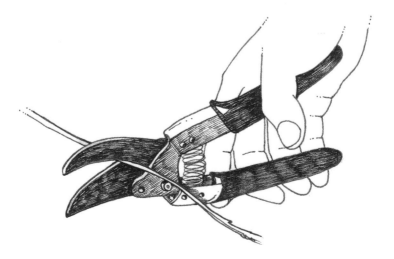

La vigne,
une plante si fragile

*L*es maladies de la vigne sont nombreuses… et ravageuses. Il y a bien sûr le phylloxéra, puceron qui a failli tout simplement anéantir la production dans le courant du dix-neuvième siècle. Le mildiou, dont le nom est une francisation orale de l'anglais *mildew*. Il désigne le miellat laissé par une espèce de puceron dans son sillage au sein duquel se développent des moisissures qui dévorent littéralement la vigne. L'oïdium est une autre maladie connue, dérivant de la contamination de la vigne par un champignon qui est très sensible au cuivre, et contre lequel ont été mises au point différentes « bouillies » comportant du cuivre.

La pourriture grise est due à un autre champignon, le *Botrytis cinerea*. C'est ce même champignon qui peut être responsable de la pourriture noble. L'une est fuie comme la peste, l'autre est recherchée pour les vins liquoreux. Les conditions de leur apparition dépendent de l'humidité et de la chaleur. Outre les maladies fongiques auxquelles appartenaient tous les cas cités jusque-là, la vigne est sensible à des virus ou aux maladies transmises par les nématodes (des vers) aux phytoplasmes (des parasites), qui donnent par exemple la maladie du bois noir. La cicadelle pisseuse est également un fléau redoutable : c'est un insecte homoptère, suceur de sève, qui transmet au pied de vigne la bactérie *Xylella fastidiosa*, responsable de la maladie de Pierce, mortelle pour la vigne, qui se dessèche et s'éteint un à cinq ans après contamination. La sensibilité relative des vignes dépend des cépages, des conditions climatologiques, ainsi que géologiques des terroirs.

Ainsi, un terrain sablonneux empêchera le développement du phylloxéra, dont la population la plus toxique pour les vignes est celle qui se développe sous terre.

Le calice jusqu'à la lie

On connaît l'expression « boire le calice jusqu'à la lie », qui désigne le fait de subir un événement désagréable ou une humiliation sans que rien ne vienne en suspendre le cours ou l'atténuer. Il est fait référence ici au fond épais et solide qui constituait historiquement le vin dans l'Antiquité et au Moyen-Âge, avant qu'on en enlève systématiquement le plus gros. Il ne devait pas être agréable, à l'époque, de se retrouver avec cet amas longuement macéré en bouche, certainement très amer. Mais les techniques ont évolué depuis. Après la fermentation, une grande partie du marc a été ôtée ; il ne reste plus que les lies fines correspondant aux levures mortes, qui ont accompli la fermentation et la transformation du sucre en alcool.

Dans le cas des vins mousseux, où l'on rajoute des levures, il est procédé à une opération très compliquée pour ôter cette nouvelle lie de la bouteille finale. Mais, dans le cas des vins tranquilles, elle est conservée, car elle va s'hydrolyser en éléments plus solubles, qui vont se diluer dans le vin, lui conférer certaines qualités (de la rondeur, du gras), et améliorer sa vivacité et ses arômes. On peut aussi récupérer la lie pour la distiller à son tour et faire de l'eau-de-vie de lie. Les Suisses sont familiers de ce procédé.

Les charmes
de la chimie : le pH

*L*e pH du vin a son importance surtout dans le cas des vins blancs. Il compte moins pour les vins rouges, dont les tanins vont déterminer en premier lieu le corps et la complexité. On le sait, les vins blancs se définissent en premier lieu par leur acidité. Elle est apportée principalement par l'acide malique, présent dans le raisin, mais dont le taux diminue au fur et à mesure que sa maturité approche, et par l'acide tartrique qui est présent dans les feuilles du raisin (et est donc compris dans les substances solides qui vont disparaître rapidement avant fermentation sauf si on pratique une macération préfermentaire).

Le dilemme consiste donc pour les producteurs à trouver un équilibre entre teneur en sucre et acidité pour obtenir le meilleur vin possible, le tout dépendant de la maturité du raisin, qui doit être parfaite. Il existe d'autres acides dans le raisin, en petites quantités, comme l'acide citrique, ascorbique, fumarique, coumarique, glacturonique, etc. Leur quantité relative, dépendant du cépage,

127

fait elle aussi varier le pH du raisin. (Rappelons qu'un pH de 7 correspond à un pH neutre ; en dessous, il est acide ; au-dessus, il est basique.)

Notons que la présence de minéraux comme le potassium ou le calcium dans le mélange, qui peuvent précipiter pour donner les sels basiques des acides présents dans le moût, compliquent encore le tableau. Enfin, les acides n'ont pas tous la même action sur le pH du vin. Ainsi, l'acide tartrique influe plus nettement que l'acide malique. Le pH oscille pour le vin entre 2,8 et 3,5. Il influe sur le goût, sur la couleur (plus le pH est bas, plus elle est intense). Le pH détermine aussi en partie la résistance aux maladies et les capacités antiseptiques naturelles du raisin (un pH plus bas augmente les résistances). Par contre, un pH bas rend la clarification par collage délicate.

Et le vin devint limpide : collage et filtrage

Le collage, c'est l'opération au cours de laquelle on introduit une substance protéique dans le vin, qui réagit et coagule au contact des tanins : de ce fait, elle attire les particules en suspension qu'elle conglomère et permet d'éliminer. Cette substance protéique peut être de différentes natures : bentonites (argiles), albumine d'œuf (dans ce cas, l'étiquette du vin doit en faire mention pour prévenir les personnes allergiques), caséine, gélatines, gels de silice ou colle de poisson. Il existe aussi une protéine de synthèse, le PVPP (polyvinylpyrrolidone), qui a été mise au point pour réagir spécifiquement avec les polyphénols et permet de diminuer l'astringence des vins rouges jeunes en enlevant une partie de leurs tanins qui participent à leur âcreté. Le collage est pratiqué depuis l'Antiquité. Cette opération est couplée au filtrage, qui permet de faire passer le vin par différents tamis et d'éliminer ainsi ces particules agglomérées, de façon à éviter d'avoir un vin trouble avec des matières en suspension. Après ces opérations, le vin est limpide et il n'a pas de dépôt. Elles ont pour inconvénient de débarrasser le vin de certains de ces composés phénoliques et tanins, modifiant ainsi sa structure, sa puissance et sa capacité aromatique.

Histoire, anecdotes et vocabulaire du vin

L e vin, depuis ses origines, a suscité de nombreuses histoires, légendes, fables, tout un univers qui connaît ses propres critères, son propre langage et ses propres secrets, en marge de notre histoire commune, mais qui y participe par bien des aspects. On a vu déjà comment l'invention de la bouteille

avait été décisive pour la conservation (et la circulation) du vin, comment le fameux classement de 1855 avait créé des dynasties qui dictent encore leur loi au milieu, ou comment les parasites comme le phylloxéra avaient mis en danger la viticulture mondiale au tournant du vingtième siècle. Mais sait-on par exemple que la célèbre pasteurisation, à laquelle Louis Pasteur a donné son nom, a été inventée pour conserver le vin ?

C'est lui qui propose en 1863 de chauffer le vin à 57 °C pour détruire les bactéries et ainsi résoudre une partie des problèmes qui grèvent les récoltes de l'époque. Louis Pasteur est un grand spécialiste de la fermentation et de la putréfaction. Son but est d'abord d'améliorer le divin breuvage avant de veiller à la qualité alimentaire générale. Connaît-on sinon le célèbre poème de *La Bataille des vins* qui marque la lutte épique – et fictionnelle – qui eut lieu au Moyen-Âge, bien avant le classement bordelais de 1855, pour désigner les meilleurs vins blancs français ? Formidable document d'époque sur l'état des vignobles sur le territoire français, il est l'œuvre d'Henri d'Andeli en 1224 et met en scène la cour du roi Philippe-Auguste qui se livre à une savoureuse dégustation. Même si ce poème a un caractère comique, il met l'accent sur la volonté qui de tout temps a marqué le travail des vignerons : produire le meilleur vin possible et arriver à une maîtrise sans cesse plus fine de leur artisanat. Mais le vin est aussi la boisson qui accompagne depuis des siècles les Français dans leur vie quotidienne et donne lieu à tout un déploiement de sagesse populaire, en marge ou même en contradiction avec l'ordre général des choses.

Aux origines du vin

L'invention du vin remonte à très longtemps, sans doute plus de 7000 ans : les premières traces qu'on peut authentifier avec certitude se trouvent au cœur des monts Zagros, en Iran. C'est sur les parois d'une jarre retrouvée sur place qu'on a découvert des résidus qui ne laissent aucun doute quant à la présence de vin élaboré volontairement par la main de l'homme. D'autres théories placent cette apparition du vin en Arménie, sur les pentes du mont Ararat. Le vin est cité dans les grands récits fondateurs : dans la Bible, où il apparaît de nombreuses fois, et qui situe Noé en viticulteur (ainsi, c'est un fabricant de vin qui sauve les êtres vivants du Déluge). Avant cela, il en est question dans l'épopée de Gilgamesh, vieille de 4000 ans.

On trouve d'autres traces en Égypte d'une implantation très précoce de la vinification : ainsi, dans la tombe du roi Scorpion Ier, vieille de plus de 5000 ans, d'autres jarres attestent de cette fabrication de vin. En Arménie comme en Égypte, on a trouvé des fouloirs et des pressoirs, qui laissent à penser que le processus n'était pas accidentel, mais bien régulier. Toujours en Égypte, on trouve un peu plus tard (autour de 4500 ans) des représentations de ce processus d'élaboration sur bas-relief.

À l'époque, le vin est un produit de luxe, réservé au pharaon et à son entourage. Ce n'est qu'avec l'avènement de la dynastie des Ramsès qu'il se répand dans tout le pays. Certaines recherches conduisent à penser qu'il s'est développé parallèlement en Grèce à la même époque, entre le quatrième et le premier millénaire avant Jésus-Christ.

Le cratère des Grecs

*S*i le vin est devenu de plus en plus populaire en Égypte, ce n'est qu'en Grèce qu'il prend un statut fondamental dans la culture et l'agriculture, au même titre que les céréales. Les Phéniciens sont également friands de vin, et les deux peuples l'implantent partout où leurs conquêtes et voyages les mènent. Les vins grecs étaient très réputés, par exemple, celui de Chios, île de la mer Égée, qui était extrêmement cher ; ou bien les vins de Lesbos et de Samos, ou le vin de Thrace, le pays d'origine de Dionysos, appelé marôneia et célèbre pour avoir permis à Ulysse de tromper le Cyclope ; l'acanthia de Macédoine ; l'héraclée de Thessalie ; ou le chrysatikos de l'Attique.

Mais il ne faut pas comprendre cette qualité selon nos critères actuels. Le processus de fabrication du vin était encore très rudimentaire. Il n'y avait pas de filtrage, et les particules solides du moût restaient en suspension dans le liquide final. Les Grecs savent cependant déjà vinifier aussi bien en rouge qu'en blanc et en rosé. Il fallait diluer le vin obtenu dans de l'eau pour le consommer, dans un cratère, instrument qui est resté célèbre et emblématique de cette popularité au sein de la culture grecque. Ce sont les Grecs qui ont introduit les premiers la culture de la vigne en Gaule, avant que les Étrusques n'implantent le vin lui-même au septième siècle avant notre ère. C'est grâce aux Hellènes que le vin acquiert sa popularité dans tout le Bassin méditerranéen et notamment dans la Rome antique, qui continue, elle, de développer son implantation.

Les bacchanales
des Romains

*L*es Romains furent immédiatement de grands consommateurs de vin. Les estimations actuelles les situent à deux fois notre consommation par personne et par an (plus de 100 litres). Ils furent d'ailleurs friands du vin produit en Gaule, qu'ils étaient prêts à échanger contre des richesses incroyables. Ils en fabriquaient eux-mêmes également à travers toute la péninsule italienne, mais principalement dans la région de Naples, en Campanie, aux alentours de Pise et de Florence, dans le pays étrusque. Les Romains savaient comment fabriquer du vin liquoreux, concentrant le sucre dans le raisin, soit sur pied, soit en le faisant sécher après récolte. Ils savaient également comment conserver le vin jusqu'à des dizaines d'années. À cette époque, les vins grecs étaient encore les plus cotés, mais les crus locaux gagnaient en réputation. Le plus connu était sans doute le falerne, originaire du nord de Naples et doté d'une large postérité dans la littérature. Le cécube, quant à lui, était produit dans le Latium, et le poète Horace le préférait même au falerne. On trouvait également les vins d'Albe, dans le Piémont, le mamertin, produit dans la région de Messine, en Sicile, et bien d'autres encore.

Les Romains, tout comme les Grecs avant eux, utilisaient le vin non seulement dans leur vie courante, mais au cours des célèbres bacchanales (les dionysies en Grèce), débordements orgiaques à caractère religieux (comportant des mystères) qui marquaient la fin de l'hiver, à la mi-mars, et accordaient au vin une place essentielle pour provoquer les transes mystiques et les délires qui devaient ponctuer les cérémonies. Le Sénat romain finit par les faire interdire en 186 avant Jésus-Christ, car il considérait que ces débordements mettaient en danger son autorité et ouvraient la porte à des complots.

Le corps du Christ

*S*i la politique ne s'est pas tout de suite souciée du vin, la religion a toujours entretenu des rapports étroits avec lui et en a fait une problématique importante partout où il s'est implanté. Les dionysies et les bacchanales en sont un exemple flagrant et correspondaient au culte de Dionysos/Bacchus, nul autre que le dieu du Vin et de la Nature. Vin et nature étaient ainsi directement associés, ce qui prouve à la fois l'importance que le vin revêtait pour les cultures antiques, et le lien qui se faisait entre la consommation de vin et la réémergence d'instincts et de débordements (notamment sexuels) qui rappelait la nature sauvage de l'être humain (et l'amenait à une certaine humilité).

La religion chrétienne alla encore plus loin : elle fit du vin le sang même de son Sauveur, Jésus-Christ. Il dit d'ailleurs : « *Je suis la vraie vigne, et mon Père est le vigne-*

ron » (Jean, XV, 1-5). C'est aussi lui qui change l'eau en vin lors des noces de Cana. Et, depuis la Cène, la messe est le rappel constant, à travers la consommation d'une gorgée de vin, du sacrifice que Jésus-Christ a consenti pour les hommes. C'est pourquoi non seulement le vin s'est très bien développé en terres chrétiennes, mais il a même été souvent le résultat du travail de monastères, qui ont cultivé la vigne dans différents terroirs et ont largement contribué au perfectionnement de l'art viticole. Vin et chrétienté se sont épanouis de concert.

Le vin tient également une grande place dans la religion juive, notamment à travers plusieurs rituels religieux de première importance. Si le Coran condamne son usage comme susceptible d'apporter de nombreux maux aux hommes (ce que la Bible soulignait aussi avec le personnage de Noé), il n'en est pas moins promis *« des fleuves de vins exquis »* à ceux qui goûteront au paradis (sourate XLVII, 15).

Le coup de pouce des moines en France

*J*mplanté par les Romains, qui assurèrent tout d'abord un contrôle radical sur sa production pendant plusieurs siècles, le vin se développe vraiment en France à partir du troisième siècle, même si la vigne est déjà devenue commune dans pratiquement toutes les régions du pays qui vont voir leur production compter par la suite. Le vin est dès les premiers temps une denrée précieuse, les Romains lui vouant un culte à travers Bacchus qui en fonde la valeur. L'effondrement de leur empire ne signe pas pour autant la fin de la culture du raisin, l'Église prenant le relais pour en continuer la promotion.

Au Moyen-Âge, grâce aux progrès de la technique de fabrication, il devient superflu de couper le vin à l'eau pour pouvoir le boire. Ce sont notamment les moines, premiers producteurs, qui contribuent à améliorer la qualité de la production. Le Bordelais est un cas à part : au dixième siècle, sous domination anglaise, il se développe plus rapidement sous l'impulsion des Britanniques qui raffolent du vin produit sur place. Mais c'est à Paris et dans sa région que la production est la plus importante, au point que la France est le premier exportateur de l'époque. Le commerce du vin est si populaire que les paysans décident souvent de cultiver la vigne aux dépens des céréales, au point de s'exposer à la famine, si bien que les rois successifs doivent veiller à réguler sa culture.

Comme on a pu le voir, l'invention de la bouteille moderne permet encore d'améliorer le transport et la conservation du vin, et donc son commerce, et lui donne un essor certain au cours du dix-huitième siècle et après. Ensuite, le prestige des vins français, et notamment de Bordeaux, est tel qu'on en arrive au fameux classement des vins de Bordeaux, qui ouvre l'époque moderne.

Dom Pérignon
et le champagne

*L*e champagne est issu d'une région où le vin a été introduit par les Romains. Par la suite, dans le courant du Moyen-Âge, la région devient l'une des premières de France grâce à l'importance qu'y prend l'Église : c'est l'évêque de Reims, saint Rémi, qui baptise le roi Clovis quand il se convertit au christianisme. Et cet évêque est justement installé près d'Épernay, dans un domaine entouré de vignes. L'Église s'occupe consciencieusement de ses vignes. Cependant, à cette époque, le champagne n'est rien d'autre qu'un des multiples vins blancs produits dans le Bassin parisien, qui fournit toute la France et exporte à l'étranger. Mais, lors des cérémonies de couronnement, qui ont toujours lieu à Reims, le vin de Champagne est largement représenté et tire son épingle du jeu : on le reconnaît bientôt pour sa finesse et ses saveurs.

Les nobles du cru mènent une campagne assidue au sein de la Cour royale pour promouvoir leur vin, mais le champagne ne connaît la révolution qui va le mener à ce qu'il est devenu qu'avec Dom Pérignon, un moine, bien évidemment, qui a le premier l'idée de pratiquer les assemblages (il est donc certainement un des ouvriers de l'art du vin moderne) et tombe par hasard en visite à Limoux sur le vin effervescent local, ce qui lui donne l'idée d'en tester la fabrication en Champagne.

Tant et si bien que, pendant la Révolution française, le 14 juillet 1790, lorsque le Champ-de-Mars accueille la fête de la Fédération, on considère que le champagne est le seul vin digne des révolutionnaires (le champagne est capable de transcender toutes les oppositions). Aujourd'hui, il s'écoule chaque année autour de 300 millions de bouteilles à travers le monde, pour un total avoisinant les 4 à 5 milliards d'euros.

Sabrer ou sabler le champagne

La formule originale est « sabler le champagne ». Il s'agit, selon les sources, d'une expression signifiant boire d'un trait un verre d'alcool, qui s'est limitée au fil du temps au champagne. Il s'agirait à l'origine d'une comparaison avec le métier du fondeur qui se servait de sable fin pour travailler son métal chauffé à blanc : le but était d'aller le plus vite possible (et donc de « sabler » le plus vite possible). D'autres affirment que le sable était utilisé pour conserver les bouteilles de champagne à bonne température.

Est-ce que la pratique de « sabrer » le champagne est venue d'un glissement de sens de l'expression originale ou s'est-elle développée indépendamment ? La chose n'est pas claire. Toujours est-il que, lors des grandes occasions militaires, il n'est pas rare de voir un soldat faire usage d'un sabre-briquet (une variété plutôt courte, idéale pour la manœuvre) en le faisant glisser du fût vers le goulot, pour venir buter contre le rebord du col.

Si l'opération est bien exécutée, l'effet cumulé du choc de la lame et de la pression à l'intérieur de la bouteille doit faire sauter le bouchon en brisant la bague qui entoure le goulot. Il est possible cependant que le goulot vienne avec si le coup a été trop violent, et la perte de liquide est quoi qu'il en soit assez considérable durant cet exercice.

Le vin de l'Empereur

*L*a légende du vin de l'Empereur est l'une des nombreuses histoires à propos de Napoléon Bonaparte. Elle comporte sans doute une part de vérité et une autre d'exagération. Napoléon n'accordait que peu d'importance aux arts de la table, toujours pressé qu'il était d'orchestrer ses futures batailles, mais s'il est un détail de ses repas qui ne souffrait pas la contestation, c'était la bouteille de Gevrey-Chambertin qui devait les accompagner invariablement.

Ce cru de Bourgogne était le préféré de l'Empereur. Il en faisait emporter des caisses entières lors de toutes ses campagnes, que ce soit en Égypte ou en Russie – où il est dit que son aide de camp en conservait une bouteille contre sa poitrine en permanence pour éviter qu'il ne gèle et pouvoir servir l'Empereur à tout moment.

Napoléon consommait cependant son vin coupé pour moitié d'eau, ce qui aurait certainement révolté les esthètes du bourgogne, même à l'époque. Plus choquant encore, Napoléon n'hésitait pas à diluer le sacro-saint champagne à l'eau, bien que l'idée puisse nous en paraître aujourd'hui saugrenue.

Il est dit que c'est parce qu'il ne put boire de son fameux Gevrey-Chambertin le jour de la bataille de Waterloo qu'elle eut une issue aussi funeste pour les troupes françaises.

Les présidents
et leurs vins

*O*n sait qu'en dehors de Nicolas Sarkozy, le dernier président en exercice, qui n'a aucun attrait particulier pour l'alcool, ni pour le vin, tous les présidents avant lui ont manifesté des préférences pour certains crus qui ont influencé la distribution des caves légendaires de l'Élysée, dont l'entretien et les commandes annuels coûtent une véritable fortune.

Si Jacques Chirac est moins amateur de vin que de bière, Mitterrand est connu pour avoir rompu la grande tradition des bordeaux à la table présidentielle. Il leur préfère les bourgognes : les chablis, Clos des Mouches de Beaune, meursault, Puligny-Montrachet Clos du Cailleret, de très bons sancerres ou des vins de Loire.

Avant lui, Giscard d'Estaing fait figure de piètre connaisseur, mais Pompidou se distingue comme amateur de très grands bordeaux : Lafite-Rothschild, Duhart-Milon, Mouton-Baronne-Philippe, Clarke, Château Poujeaux. Lors d'un dîner qu'il fait donner en l'honneur de la reine des Pays-Bas en 1972, il choisit lui-même les vins et  fait servir un Château La Tour-Blanche 1955, un Puligny-Montrachet 1969, un Château Haut-Brion 1964, un Laurent Perrier Grand Siècle. De Gaulle est également un amateur de bordeaux et de champagne Drappier. Le clairet se fait connaître pendant son mandat, sous l'influence de Chaban-Delmas, qui en fit le vin officiel des apéritifs du palais de l'Élysée.

Les larmes du Christ

Lacrima Christi, qui se traduit littéralement « larmes du Christ », est un vin produit en Italie, sur les flancs du Vésuve, le fameux volcan à l'origine de la destruction de Pompéi, la ville figée à jamais dans ses cendres. Actuellement en sommeil, le Vésuve est toutefois le seul volcan d'Europe à avoir connu une irruption dans le courant des cent dernières années (en 1944). On dit que ces larmes du Christ possèdent le caractère volcanique de la terre qui les porte, si bien que ce vin est connu depuis l'Antiquité.

Selon les diverses légendes expliquant le nom de ce cru, toutes rattachées à la ville de Naples, le Christ, montant au ciel, fut ému aux larmes par la beauté de la ville et de sa baie – ou il fut attristé par l'action corruptrice de Lucifer sur cette région au point d'en pleurer.

Quoi qu'il en soit, ces larmes se répandirent sur les flancs du Vésuve, et d'elles naquirent les vignes qui donnèrent plus tard le fameux vin. En raison de son caractère assez corsé, le vin *Lacrima Christi* ne plaira pas à tous les palais. Il vaut malheureusement plus pour son caractère exotique que pour ses qualités intrinsèques, risquant de laisser l'amateur un peu désappointé.

La légende du coq noir

ette légende, qui prend elle aussi ses sources en Italie, est liée à un problème que les producteurs de vin connaissent bien et qui a émaillé toute son histoire : comment éviter les imitations qui essayent de tirer parti du prestige d'une région viticole. Le coq noir, ou *gallo nero* en italien, est, depuis bien avant 1716 et l'édit du grand-duc de Toscane Cosimo III, destiné à en tracer les limites, le symbole de la région du chianti. Il représentait déjà la Ligue du chianti, qui défendait ce cru, au quatorzième siècle. Il est devenu le symbole de l'élégance et de la qualité du vrai chianti.

Si les véritables raisons du choix de cet animal comme emblème ont depuis longtemps sombré dans l'oubli, une légende s'est imposée pour l'expliquer, qui prend ses sources dans la rivalité opposant de longue date les villes de Sienne et de Florence. L'histoire veut que les deux villes, fatiguées de se battre éternellement sans pouvoir désigner un vainqueur, choisirent un moyen peu orthodoxe pour décider de l'issue de leur confrontation. Les limites de la frontière entre les deux villes, destinées à établir l'influence de chacune, seraient fixées au point de rencontre entre deux cavaliers partis au chant du coq. Sienne choisit un coq blanc et dodu qui chanta à l'aube, mais Florence, plus rusée, sélectionna un coq noir famélique, qui n'était nourri que sporadiquement. Ce dernier, affamé, chanta bien avant l'aube, entraînant un départ anticipé du cavalier de Florence. La ville gagna ainsi un territoire étendu, qui devint celui du chianti. Le coq noir est toujours aujourd'hui le motif des fabricants de chianti groupés en consortium.

Du vin pour les voitures
et les chevaux

Au tournant du ving-tième siècle, en raison du phylloxéra qui a mis à mal tout le secteur viticole pendant de nombreuses années, les Français ont perdu l'habitude de boire du vin, et la production, qui a repris son cours normal, trouve difficilement à s'écouler. Le vin est en crise, et le gouvernement se doit de réagir. Georges Trouillot, ministre du Commerce et de l'Industrie de la Gauche radicale, en appelle à une solution originale à l'Assemblée : il propose de remplacer l'essence qui fait rouler les voitures, que la France doit importer, par de l'alcool tiré des cuves pleines de vin du sud de la France. Le gouvernement propose ainsi des courses de voitures, où les premiers modèles alors en circulation roulent au vin rouge : deux courses officielles sont organisées, l'une dans le nord de la France, l'autre dans l'Hérault. Le jury de ces manifestations doit contrôler que la consommation des voitures engagées se situe bien autour de 14 litres d'alcool aux 100 kilomètres.

Pour les mêmes raisons, et selon le même genre de raisonnement étonnant, il est décidé à l'époque de couper l'avoine des chevaux avec du vin – qui la fait gonfler –, de manière à économiser les céréales qui coûtent cher et à trouver un débouché pour le vin, dont on ne sait alors plus que faire.

La piquette

*D*ans l'Antiquité, les Romains l'appelaient *lora*. C'était la boisson qu'on réservait aux esclaves, obtenue après une deuxième macération du moût – la première servant à faire le vin de bonne qualité – que l'on allongeait d'eau pour faire le volume. La *lora* était donc assez faiblement alcoolisée et n'avait du vin qu'une parenté lointaine de goût.

La pratique a perduré en France au Moyen-Âge. Cette boisson fut baptisée piquette par les moines, et le nom est passé depuis dans le langage populaire. Le marc (les parties solides du raisin que l'on a séparées du moût) additionné d'eau était laissé à macérer pour fabriquer un vin léger de piètre qualité, qui avait tendance à se piquer (s'oxyder et passer vinaigre) rapidement, d'où son surnom dépréciatif. Il était fabriqué pendant les vendanges pour être servi aux ouvriers agricoles et aux vignerons.

Pour en tirer le meilleur parti, on gardait ainsi le bon vin pour la vente et l'exportation. Si la pratique est aujourd'hui interdite en France, elle est toujours autorisée à l'échelon européen, mais dans la stricte limite de la consommation personnelle du vigneron producteur et de sa famille. Aujourd'hui, l'expression est utilisée indifféremment pour désigner un mauvais vin, qui ne se laisse pas boire.

Les dictons du vin

*I*ls sont nombreux à avoir circulé et à s'être conservés au fil des siècles, signalant ainsi la place à part que le vin occupe dans nos cultures. Déjà, chez Pline l'Ancien, on trouve cette expression qui veut tout dire : *In vino veritas.* « La vérité est dans le vin. » Longtemps, nos ancêtres ont cru que le vin avait pour effet de révéler des vérités cachées sur les gens : enivrés, ils auraient eu tendance à en dire plus qu'ils ne l'auraient voulu. Le dicton populaire « Autant de vin il entre, autant de secrets qui sortent » ne dit rien d'autre que cela.

De nombreux proverbes rendent également hommage aux vertus supposées du vin pour la santé : « Au matin, bois le vin blanc, le rouge au soir, pour faire le sang », « Avec bon pain, bonne chère et bon vin, on peut envoyer promener le médecin », ou, bien sûr, comme le dit Pasteur lui-même : « *Le vin est la plus saine et la plus hygiénique des boissons.* » Les hommes célèbres louent ses qualités sociales et humaines : « *Le vin inspire et contribue énormément à la joie de vivre* », nous dit Bonaparte, tandis que Thomas Jefferson, amateur éclairé, déclare : «*Je considère l'amitié égale au vin. Brute pour commencer, puis mûrissant avec les années.* » Lord Byron est catégorique : « *Le vin console les tristes, rajeunit les vieux, inspire les jeunes et soulage les déprimés du poids de leurs soucis.* » Léonard de Vinci affirme lui aussi : « *Chez nous, les hommes devraient naître plus heureux et plus joyeux qu'ailleurs, car je crois que*

le bonheur vient aux hommes qui naissent là où l'on trouve le bon vin. » Même les *Psaumes* véhiculent un avis similaire : « *Le vin réjouit le cœur des hommes.* »

« *Qu'importe le flacon, pourvu qu'on ait l'ivresse* », disait Alfred de Musset. Cette ivresse, d'autres proverbes viennent au contraire en souligner les effets néfastes sur le comportement des hommes. « Le  vin est un bon valet, mais un fichu maître », « Le vin entre et la raison sort », « Le vin tue plus de gens que n'en guérit le médecin », « Qui boit sans soif vomira sans effort » (dit-on en Bretagne), ou encore, remontant à l'Antiquité : « La vue de l'ivrogne est la meilleure leçon de sobriété. » « Blanc puis rouge, rien ne bouge ; rouge puis blanc, tout fout le camp » est un proverbe qui est censé décrire l'ordre dans lequel enchaîner éventuellement les couleurs du vin si l'on veut éviter d'être malade.

Certains dictons sont liés aux saisons et traduisent les savoirs populaires et l'importance du temps sur l'art viticole : « Saint-Vincent clair et beau, plus de vin que d'eau », dit-on en Bourgogne où l'on affirme aussi : « Si le lys est en fleurs à la Saint-Jean, nous aurons vendangé à la Saint-Céron, s'il est fleuri pour la Fête-Dieu, nous aurons vendangé pour la Saint-Mathieu. » Et bien d'autres encore. N'oublions pas enfin les nombreuses plaisanteries que le vin a inspirées à toutes les époques. « Au fond des pots sont les bons mots », dit le proverbe, et en voici quelques exemples : « Boire au volant, c'est pas bien. Faut boire à la bouteille », s'esclaffent les Bretons, tandis que l'on s'exclame, paillard, en Bourgogne : « Le vin fait beaucoup de bien aux femmes, surtout quand ce sont des hommes qui le boivent. » Oscar Wilde a laissé lui aussi sur le sujet une des perles dont il était coutumier : « *Les Français sont si fiers de leurs vins qu'ils ont donné à certaines de leurs villes le nom d'un grand cru.* »

Nous terminerons par le dicton frappé au coin du bon sens : « Il y a loin de la coupe aux lèvres », qui connaît comme variante « Il ne faut pas boire le vin avant de l'avoir tiré » et raille la propension des amateurs de vin à prendre leurs désirs pour des réalités.

Superstitions en pays du vin

En Bourgogne et en Champagne, dans le courant du Moyen-Âge et à la Renaissance, il n'était pas rare de lancer des anathèmes contre les bêtes qui attaquaient les vignes, ce qui peut nous paraître aujourd'hui un brin surréaliste. Ainsi, à Autun, un fonctionnaire prit un arrêt contre les rats. Il leur fut désigné un avocat d'office qui, pour les défendre, argua du délai trop court qu'on leur avait donné pour comparaître, en raison de la menace que constituait pour eux les chats sur leur passage. Et, croyez-le ou non, on accorda aux rats ce délai pour se présenter.

Sous François Ier, le prévôt de Troyes déclara solennellement : « *Parties ouïes, faisant droit à la requête des habitants de Villenose, admonestons les chenilles de se retirer dans six jours ; à faute de faire, les déclarons maudites.* » Il est certain que cette malédiction a dû causer une grande frayeur aux chenilles. La croyance populaire voulait également que de grands feux de paille, organisés plusieurs fois l'année, étaient capables de chasser les chenilles ou de les mainte-

nir au loin. D'autres superstitions émaillent l'histoire du
vin à toutes les époques : le fait de finir une bouteille de
vin involontairement peut signifier que l'on va se marier
dans l'année. Consacrer de l'eau ou du lait au lieu du vin
était vu par l'Église comme une hérésie, susceptible d'être
sévèrement punie. Il faut toujours servir le vin avec la
bouteille pointant le soleil, si l'on ne veut pas affecter sa
qualité. Renverser du vin peut porter chance, mais seulement si l'on a trempé les doigts dans le liquide répandu
avant de se les porter au front.

Le vin dans la littérature

S'il est très présent dans la culture populaire française, donnant sa substance à de
nombreux proverbes et expressions, le
vin est aussi une source d'inspiration ne s'étant jamais
démentie pour nombre d'auteurs, qui en ont fait l'article
de manière plus ou moins systématique. Ainsi, Balzac ou
Baudelaire ont été parmi les plus grands chantres de la
bouteille, l'intriquant, pour l'un, avec sa science du détail,
pour l'autre, avec son esprit romantique, jusqu'à marquer
clairement leurs styles et leurs écrits.

Tout au long de l'histoire littéraire, on trouve mention
du vin : très largement dans la Bible, ou chez les auteurs

classiques, comme Pline l'Ancien. Rabelais ou Dumas, les bons vivants de la littérature française, n'auraient pas pu s'en passer et placent dans le divin nectar une joie de vivre difficile à museler. La littérature contemporaine, voire ultra-contemporaine, n'y échappe pas puisqu'un manga très populaire au Japon, qui commence à gagner son public chez les lecteurs français, *Les Gouttes de Dieu*, met en scène une compétition rocambolesque de jeunes œnologues autour d'un héritage mystérieux de grandes bouteilles. « *L'Art et le Vin sont les joies supérieures des hommes libres* », disait déjà Aristote, et nous allons maintenant découvrir à quel point, grâce à un tour d'horizon des paroles les plus inspirées sur rouges corsés et blancs piquants.

Balzac et le vin

Honoré de Balzac est un formidable bon vivant, qui passe tout son temps, quand il n'est pas en train d'écrire avec abnégation, à table, à déguster les meilleurs mets et les plus grandes bouteilles. Il alterne même strictement périodes de diète consacrées à l'écriture et bombances sans retenue pour fêter l'achèvement de ses ouvrages. La cuisine est pour lui une véritable libération et une joie sans frein. Si le café est en réalité pour lui la boisson entre toutes – celle qui fait le lien entre son travail et ses excès –, le vin tient une place à part. « *Le vin a nourri mon corps tandis que le café entretenait mon esprit* », dit-il au détour de sa correspondance.

Doté d'un estomac d'acier et d'une descente hors du commun, il stupéfie son ami Théophile Gautier : « *Quatre bouteilles de vin blanc de Vouvray, un des plus capiteux qu'on connaisse, n'altéraient en rien sa forte cervelle et ne faisaient que donner un pétillement plus vif à sa gaieté.* »

Il manifeste la même gloutonnerie en matière de gastronomie, dévorant littéralement tout ce qui lui passe sous la main. Balzac est un grand amateur de vins de Loire et il voue un véritable culte au vin de Champagne (servi des dizaines de fois dans le cadre de *La Comédie humaine*). Également friand de porto et de madère, de malaga et de xérès, il laisse à la postérité des formules savoureuses : « *L'inconvénient du vin de Vouvray, Monsieur, est de ne pouvoir se servir ni comme un vin ordinaire, ni comme vin d'entremets ; il est trop généreux, trop fort ; aussi vous le vend-on à Paris pour du vin de Madère en le teignant d'eau-de-vie* » ; « *L'ivrognerie engraisse encore l'homme gras et maigrit l'homme maigre* ».

Il a également écrit un court *Traité des excitants modernes* au sein duquel il évoque le vin dans son chapitre sur les eaux-de-vie : « *Le vin, cet excitant des classes inférieures, a, dans son alcool, un principe nuisible ; mais au moins veut-il un temps indéfinissable, en rapport avec les constitutions, pour faire arriver l'homme à ces combustions instantanées, phénomènes extrêmement rares.* » Et voici comment, pour finir, il se décrit lui-même : « *Comme observateur, il était indigne de moi d'ignorer les effets de l'ivresse. Je devais étudier les jouissances qui séduisent le peuple, et qui ont séduit, disons-le, Byron après Sheridan, et tutti quanti. La chose était difficile. En qualité de buveur d'eau, préparé peut-être à cet assaut par ma longue habitude du café, le vin n'a pas la moindre prise sur moi, quelque quantité que ma capacité gastrique me permette d'absorber. Je suis un coûteux convive.* »

Baudelaire :
le poète du vin

Contrairement à Balzac, et à l'opposé de ce que l'on pourrait supposer sur ce poète qui a érigé au rang de mythe la consommation d'absinthe et de haschich, Charles Baudelaire n'était pas un très grand consommateur de vin, et encore moins un alcoolique. L'écrivain normand Gustave Le Vavasseur, l'un des proches de Baudelaire, dit même de lui : « *Il était naturellement sobre. Nous avons souvent bu ensemble. Je ne l'ai jamais vu gris, ni lui moi* », tandis que Nadar, le célèbre photographe français de la deuxième moitié du dix-neuvième siècle se souvient : « *Jamais, de tout le temps que je l'ai connu, je ne l'ai vu vider une demi-bouteille de vin pur.* »

Si le vin n'est pas pour Baudelaire un breuvage indispensable, il reste néanmoins une source d'inspiration très forte, et le poète donne à ce thème certaines de ses plus belles lignes.

Dans son recueil de poèmes *Les Fleurs du mal*, il consacre une section entière au vin, avec cinq magnifiques poèmes : « L'âme du vin », « Le vin des chiffonniers », « Le vin de l'assassin », « Le vin du solitaire » et « Le vin des amants », où le vin est présenté comme une possibilité d'évasion et où l'ivresse est synonyme d'espoir pour les populations les plus pauvres.

Il réunit les amants, pousse à la révolte, inspire les rêves, provoque le voyage, incite à la vertu.

Chez Baudelaire, le vin est une échappatoire à un réel trop dur. Il permet de différencier la matière, associée à la souffrance humaine, et l'esprit, touché par la beauté. *« Pour noyer la rancœur et bercer l'indolence/De tous ces vieux maudits qui meurent en silence,/Dieu, touché de remords, avait fait le sommeil ;/L'Homme ajouta le Vin, fils sacré du Soleil ! »*, déclame l'auteur de « Du vin et du haschisch », pour qui, même s'il ne touchait que rarement à l'ivresse lui-même, *« Boire du vin, c'est boire du génie »*.

« *In vino veritas* » : Pline l'Ancien et le vin

« *C* hacun tient à son vin, et où qu'on aille, c'est toujours la même histoire »,* « In vino veritas. *La vérité dans le vin »*, « *L'homme doit au vin d'être le seul animal à boire sans soif »* : nous devons tous ces bons mots sur le vin, qui sont devenus des dictons, à Pline l'Ancien, auteur romain de *L'Histoire naturelle*, la plus grande encyclopédie de son temps, écrite au premier siècle après Jésus-Christ.

Dans le chapitre XIV de cet ouvrage qui traite aussi bien de philosophe, de science, de littérature, d'art, de

botanique, de médecine et du monde animal, Pline rassemble toutes les connaissances de l'époque sur la vigne et le vin, et ce, dans tout le monde connu. Il propose ainsi une mine incroyable de renseignements sur la culture du vin, les différentes espèces de vignes exploitées, les sols, le climat, les modes de fabrication et de conservation, et, toujours dans un souci d'exhaustivité, il parvient à dénombrer 185 sortes de vin produites par l'homme, que ce soit en Italie, en Grèce, en Gaule ou dans toutes les autres régions administrées par l'Empire naissant, comme l'Espagne, l'Égypte ou l'Asie.

Ce chapitre, divisé en 22 parties, évoque également les vertus données aux vins des différentes régions. Ainsi, si le vin de Signia est constipant, celui de Cos est laxatif, celui de Chio est bon pour la digestion tandis que celui de Calès soigne les maux d'estomac. Plus étrange encore, on y apprend qu'un vin d'Arcadie rendrait les femmes fécondes et les hommes colériques, et qu'un vin d'Achaïe provoquerait des fausses couches, tandis que celui de Trézène rendrait les hommes impuissants.

La Gaule n'est pas à cette époque la région la plus réputée pour sa production viticole, puisque, si certains vins ne connaissent qu'une réputation locale, comme celui de Béziers, d'autres vins de la Narbonnaise ne méritent aucune estime : « *Les vignerons de ce pays ont établi des fabriques de cette denrée, et ils fument leurs vins ; et plût au ciel qu'ils n'y introduisent pas des herbes et des ingrédients malfaisants ! N'achètent-ils pas de l'aloès, avec lequel ils en altèrent le goût et la couleur ?* » Et on y apprend ainsi que, près de 20 siècles plus tôt, on déplorait déjà certains procédés de fabrication…

Alexandre Dumas :
romancier gourmet

*G*rand amateur de gastronomie, l'auteur des *Trois Mousquetaires* et du *Comte de Monte-Cristo* a livré, à la fin de sa vie, un très intéressant dictionnaire de cuisine, dans lequel il distille de nombreux conseils, accumulés au cours des pantagruéliques dîners qu'il partageait avec ses amis, tels que le compositeur Gioachino Rossini. « *Alexandre Dumas partageait son temps, comme d'habitude, entre la littérature et la cuisine ; lorsqu'il ne faisait pas sauter un roman, il faisait sauter des petits oignons* », dit même Charles-Pierre Monselet dans son ouvrage *Alexandre Dumas en tablier blanc*.

Étant le petit-fils d'un maître d'hôtel du duc d'Orléans, la cuisine est une passion pour Dumas père depuis sa plus tendre enfance. Lorsqu'il évoque le sujet, il compare l'origine de cet appétit dévorant à celle de l'écriture : « *Vous me demandez d'où vient mon goût pour la cuisine. Comme celui-ci de la poésie, il me vient du ciel.* »

Ainsi, son *Grand Dictionnaire de cuisine*, paru après sa mort, est un testament de plusieurs centaines d'entrées. Et le vin occupe évidemment une place de choix, telle que le montre par exemple le chapitre sur la cave, dans lequel il donne son avis sur sa bonne composition, avec un style inimitable, plein de références antiques. Ainsi du soleil, « *funeste pour la cave* » : « *Un gourmand expérimenté ne fait point grâce à ses rayons, il les condamne à un éternel exil.* » Pour la composition de la cave, il conseille aux « amphitryons » de son époque : « *Malheur au buveur ignorant qui entasse dans sa cave les tonneaux de bourgogne et de champagne ; ces vins qui n'ont que peu d'années à vivre, doivent être bus aussitôt qu'ils ont atteint leur maturité ; leur dégénérescence est rapide, le bourgogne aigrit, le champagne graisse. »* Et entre autres conseils sur le vin blanc, *« d'une conservation difficile »,* l'auteur se permet quelques réflexions, à l'instar d'un Pline l'Ancien, sur les pratiques de ses voisins, notamment les Grecs, qui placent des pommes de pin dans leurs amphores, ou encore l'Espagne, *« où le vin serait excellent, si on ne l'enfermait pas dans des peaux de boucs qui lui communiquent une odeur à laquelle les étrangers ne peuvent s'habituer ».*

Un ouvrage incontournable pour les amateurs de vin, de gastronomie et de littérature.

« *Beuvez toujours/Ne mourrez jamais* » : Rabelais et le vin

Le père de Pantagruel et de Gargantua, pour qui *« jamais homme noble ne hait le bon vin »,* cette boisson qu'il considère comme *« ce qu'il y a de plus civilisé au monde »,* aimait à dire que *« l'usage du vin, outre le verbe prolixe et la prière fervente, est de toutes les actions humaines ce qui le distingue des autres créatures terrestres ».* Ce grand humaniste, dont les ouvrages sont au bon vivant ce que la Bible est au croyant, né à La Devinière, près de Chinon, où ses parents auraient cultivé la vigne, portait une estime toute particulière au vin, symbole de fête, de joie et de convivialité autant que de religion et de réflexion, thème qui nourrit toute son œuvre, et ce, dès le prologue de Gargantua, dans lequel il se décrit comme « *toujours buvant, toujours composant* ».

Celui que Ronsard présentera dans son épitaphe comme « *Du bon Rabelais, qui buvait/Toujours cependant qu'il vivait* », et dont la devise était « *Beuvez toujours/Ne mourrez jamais* », écrivit même un *Traité de bon usage de vin*, dans lequel il évoque, avec son humour et sa verve si particuliers, ce que doit accomplir un « *buveur de bonnes mœurs* » qui se respecte. Par exemple : « *Ne buvez jamais seuls. La compagnie de buveurs est une engeance hautement estimée et sa parole barytonante est d'un poids considérable dans les cercles des gendarmes.* » À travers cet ouvrage sur le vin, le docteur entend ainsi présenter un traité de vie, un livre de santé : « *Le vin vous donnera le jour durant des selles fermes et assurées, que le sage Épistémon nomme papales, car elles sont par nature infaillibles. Qui au contraire boit dès le matin de l'eau ou quelque liquide analogue sera ramolli et cul-pendant jusqu'aux ultimes heures vespérales ; et il se couchera en sueur et aura des cauchemars. Et au contraire qui boit du vin aura la conscience tranquille et l'esprit paisible jusqu'au crépuscule ; et ainsi jour après jour et derechef. Et le vin vous donnera pisse saine et rose, veloutée comme bois de cerf. Alors que les buveurs d'eau l'auront trouble et soufrée. Et le vin vous donnera une verge puissante et belle, que vous brandirez à volonté et obser- verez avec contentement. Alors que les buveurs d'eau l'auront pleine de bulles et de hoquets.* »

À ceux qui l'auraient oublié : « *L'appétit vient en mangeant, la soif disparaît en buvant.* »

Colette :
l'obsession du vin

*É*levée dans l'Yonne, à Saint-Sauveur-en-Puisaye, Sidonie Gabrielle Colette est initiée dès son plus jeune âge au vin, qui nourrit son amour de la chair et son hédonisme revendiqué. À travers toute sa littérature, cette passion pour le vin est étalée au grand jour, tout comme son amour de la vigne : « *La vigne, le vin sont de grands mystères*, écrit-elle dans *Prison et Paradis*. *Seule, dans le règne végétal, la vigne nous rend intelligible ce qu'est la véritable saveur de la terre. Quelle fidélité dans la traduction ! Elle ressent, exprime par la grappe les secrets du sol. Le silex, par elle, nous fait connaître qu'il est vivant, fusible, nourricier. La craie ingrate pleure, en vin, des larmes d'or.* »

Tous les vins la passionnent, du muscat de Frontignan et des premiers bourgognes de son enfance (« *À l'âge où l'on lit à peine, j'épelai, goutte à goutte, des bordeaux rouges anciens et légers, d'éblouissants Yquem* »), aux Château Larose, Château Lafite, Chambertin et Corton de son adolescence, en passant par le jurançon, « *un prince enflammé, impétueux, traître comme tous les grands séducteurs* ». Elle visite les vignobles, à Odenas dans le Brouilly, en Bourgogne ou à Nuits-Saint-Georges, et se passionne pour le champagne Pommery, « *murmure d'écume, perles d'air bondissantes, à travers les banquets d'an-*

niversaire et de première communion », qui ne se boit pas, mais se déguste : « *Il ne faut pas l'avaler goulûment. On doit le déguster avec mesure dans des verres étroits, à gorgées espacées et réfléchies.* » Pour ses 75 ans, elle reçoit une bouteille de Château Mouton-Rothschild de son année de naissance, 1873 : « *Comme à moi, il lui restait quelque feu, une couleur atténuée, une bonne odeur de violettes.* »

Colette n'est pas avare de conseils, notamment sur les associations de vins : les truffes se dégustent avec du mercurey, le vouvray sec se boit avec des fraises, mais, au final, elle revenait souvent à son premier amour, le Château Yquem, qui était autant, pour elle, un rappel nostalgique qu'un élixir de vie.

« *Le vin, c'est la vie* » :
citations antiques

« *Deux choses ne peuvent se cacher : l'ivresse et l'amour.* »
(Antiphane)

« *C'est avec elle que les rois de la terre se sont livrés à l'impudicité ; et du vin de son impudicité les habitants de la terre se sont enivrés.* » (*Le Livre de l'Apocalypse* 17:2)

« *Il sera long, bien long, le temps où nous ne boirons plus.* »
(Apollonidas de Smyrne)

« *Un homme ivre de vin tombe en avant parce qu'il se sent la tête lourde, mais un homme ivre de bière tombe en arrière parce qu'il est proprement assommé.* » (Aristote)

« *Le buveur de vin est amené à embrasser, même sur la bouche, des personnes que nul à jeun n'embrasserait.* » (Aristote)

« *Arrose mes cendres avec du vin. Un printemps éternel passe sur mon urne que ne doivent pas mouiller des pleurs.* » (Ausone)

« *Le vin pris avec modération rend l'esprit humain plus pénétrant.* » (Boèce)

« *Ta gorge est une coupe arrondie/Pleine d'un vin parfumé/ Ton corps est comme une meule de froment/Couronnée de lis.* » (*Le Cantique des cantiques* 7:3)

« *Si tu surprends ta femme à boire du vin, tue-la !* » (Caton, dit l'Ancien)

« *Qu'il boive, ou bien alors qu'il parte.* » (Cicéron)

« *Les hommes sont comme les vins : avec le temps, les bons s'améliorent et les mauvais s'aigrissent.* » (Cicéron)

« Pour le vin, il n'y a pas de terme fixé. Mais ne bois pas jusqu'à l'ivresse. » (Confucius)

« Les jeunes gens ne boivent que ce qu'il faut pour amener leur esprit à une joyeuse espérance, leur langue à une joie sereine et à un rire plein de mesure. » (Critias)

« Tu lui as fait boire le vin généreux, le sang de la grappe. » (*Le Livre du Deutéronome* 32:14)

« Avant de regarder à ce que vous devez boire ou manger, regardez à ceux avec qui vous devez boire et manger. » (Épicure)

« Il est terrible, le vin ; c'est un rude lutteur ! » (Euripide)

« Que Dieu te donne rosée des cieux, graisse de la terre, froment et vin en abondance ! » (*Le Livre de la Genèse* 27:28)

« Il est bien tard d'épargner sur le tonneau quand le vin est à la lie. » (Hésiode)

« Il faut boire du vin, trois verres par repas : le premier par nécessité ; le second par utilité ; le troisième par plaisir. » (Hippocrate)

« Le vin qui vous fait un cœur d'homme. » (Homère)

« Le vin, c'est la vie. » (Horace)

« Celui qui boit de ce vin jusqu'à l'âge de cent ans est sûr de devenir vieux ! » (saint Jean)

« Plus on boit, plus on a soif. » (Ovide)

« Le vin est le lait des vieillards. » (Platon)

« Un homme qui craint de s'enivrer ne jette pas son vin, il le mélange. » (Plutarque)

« *Bonne chasse et bon vin font bon ménage* » : citations médiévales et modernes

« *Votre Majesté a bien raison de dire que le mauvais tonneau de Jupiter, celui qui verse les maux sur les hommes, est plus grand et plus plein que celui qui verse les biens.* »
(Jean le Rond d'Alembert)

« *Brûlez de vieux bois, buvez de vieux vins, lisez de vieux livres, ayez de vieux amis.* » (Alphonse XI)

« *Verse-nous bien de ton vin rouge/Jusqu'à ce qu'on touche la lie/On ne peut pas monter la garde/En demeurant sur sa pépie.* » (Archiloque)

« *Mieux vaut prendre un peu de vin par nécessité, que beaucoup d'eau par avidité.* » (saint Benoît)

« *La bouche encore teinte des raisins qu'il a bus/Le front chargé des fruits d'une heureuse vendange/Et penché sur son char, le dieu vainqueur du Gange/Du plus riche des mois nous verse les tributs.* » (Antoine, dit le chevalier de Bertin)

« *L'eau à elle seule n'est pas saine pour un Anglais.* »
(Andrew Boorde)

« *Bonne chasse et bon vin font bon ménage.* »
(duc de Brissac)

« *Il y a plus de paroles en un plein pot de vin qu'en un muid de cervoise.* » (Chrétien de Troyes)

« *C'est une grande incivilité de demander à boire en premier avant que les personnes plus qualifiées aient bu. Il faut aussi prendre garde en buvant de ne pas faire de bruit avec le gosier, pour marquer toutes les gorgées que l'on avale, en sorte*

qu'un autre pourrait les compter. Il est plus civil de boire tout ce qu'il y a dans son verre que d'en laisser. »
(Antoine de Courtin)

« Le bon roi Dagobert/Ayant bu allait de travers./Le grand saint Éloi/Lui dit : Ô mon roi !/Votre majesté/Va tout de côté./Eh bien ! lui dit le roi/Quand t'es gris, marches-tu plus droit ? » (Le Roi Dagobert Ier)

« En attendant, ma belle, notre charmante hôtesse, si nous disions un mot à la bouteille ? » (Denis Diderot)

« Le vin est la caverne de l'âme. » (Érasme)

« Les hommes peuvent conserver leur santé et leur force sans vin : avec le vin, ils courent le risque de ruiner leur santé et de perdre les bonnes mœurs. » (Fénelon)

« Le Madiran ? Un vin de seigneur qui vieillit fort heureusement. » (François Ier)

« Le vin, c'est la lumière du soleil captive dans l'eau. » (Galilée)

« L'art et le vin servent au rapprochement des peuples. » (Goethe)

« Bonne cuisine et bon vin, c'est le paradis sur terre. » (Henri IV)

« Je considère l'amitié égale au vin. Brute pour commencer, puis mûrissant avec les années... » (Thomas Jefferson)

« Le vin mène à la gaieté bruyante. » (Emmanuel Kant)

« Le vin est le partage des dieux. » (Jean de La Fontaine)

« Voici, Madame, le roi des vins et le vin des rois. » (Louis XV)

« *Qui n'aime point le vin, les femmes ni le chant restera sot toute sa vie.* » (Martin Luther, théologien et réformateur)

« *Je respecte le vin ; va-t'en, retire-toi ;/Et laisse Amphitryon dans les plaisirs qu'il goûte.* » (Molière)

« *Qui ne se donne loisir d'avoir soif, ne saurait prendre plaisir à boire.* » (Montaigne)

« *Le raisin, le vin et l'humeur des Gascons sont d'excellents antidotes contre la mélancolie.* » (Montesquieu)

« *Le vin rouge français a toujours, en Angleterre, un goût d'encre ; en France, il a un goût de soleil.* » (Thomas Moore)

« *J'aime le vin, le jeu et les filles.* » (Alfred de Musset)

« *Trop ou trop peu de vin interdit la vérité.* » (Blaise Pascal)

« *Le jus de la vigne clarifie l'esprit et l'entendement.* » (François Rabelais)

« *Si Dieu voulait interdire de boire, aurait-il fait un vin si bon ?* » (Richelieu)

« *Quiconque fait dans le vin de mauvaises actions couve à jeun de mauvais projets.* » (Jean-Jacques Rousseau)

« *L'invisible esprit du vin rouge.* » (William Shakespeare)

« *Fréquente avec amour la cellule, si tu veux être introduit dans le cellier du vin.* » (saint Thomas d'Aquin)

« *Vin perd mainte bonne maison.* » (François Villon)

« *Je crois que le bonheur naît aux hommes là où l'on trouve de bons vins…* » (Léonard de Vinci)

« *Je ne connais de sérieux ici-bas que la culture de la vigne.* » (Voltaire)

« *Le vin des forts est le poison des faibles* » : citations contemporaines

« *J'ai comme toi pour me réconforter/Le quart de pinard/ Qui met tant de différence entre nous et les Boches.* »
(Guillaume Apollinaire)

« *Serrer trop fort le pressoir donne un vin qui sent le pépin.* »
(Francis Bacon)

« *Rien ne grise comme le vin du malheur.* »
(Honoré de Balzac)

« *Le vin inspire et contribue énormément à la joie de vivre.* »
(Napoléon Bonaparte)

« *Le whisky ! Rien n'est plus rude à avaler... Dans les pays civilisés, on boit du vin !* »
(Charlie Chaplin)

« *La première qualité d'un grand vin est d'être rouge.* »
(Sir Winston Churchill)

« *Un grand vin n'est pas l'ouvrage d'un seul homme, il est le résultat d'une constante et raffinée tradition. Il y a plus de mille années d'histoire dans un vieux flacon.* »
(Paul Claudel)

« *Faites semblant de pleurer, car les bouteilles font toujours semblant d'être vides.* » (Jean Cocteau)

« *Il est bon de traiter l'amitié comme les vins et de se méfier des mélanges.* » (Colette)

« *Qui sait déguster ne boit plus jamais de vin, mais goûte des secrets.* » (Salvador Dali)

« Ce pinard est joyeux comme une ronde d'enfants. »
(Frédéric Dard)

*« En voyage, je regarde la carte des vins pour éviter
les bouchons. »* (Raymond Devos)

*« Un bon buveur doit au premier coup reconnaître le cru,
au second, la qualité, au troisième, l'année. »*
(Alexandre Dumas père)

« Je bois du vin de table même quand il n'y a pas de table ! »
(René Fallet)

*« Le meilleur est le bordeaux puisque les médecins
l'ordonnent. Plus il est mauvais, plus il est naturel. »*
(Gustave Flaubert)

*« Certainement, Dieu est un très bon enfant d'avoir donné le
vin à l'homme. Si j'avais été Dieu, j'en aurais gardé la recette
pour moi seul. »* (Théophile Gauthier)

*« Redoutez les effets du vin, mais observez pourtant qu'il y
a beaucoup plus de vieux ivrognes que de vieux médecins. »*
(Sacha Guitry)

« Le vin des forts est le poison des faibles. »
(Victor Hugo)

*« Le vin est fort, le roi est plus fort, les femmes
le sont plus encore. »* (Martin Luther King)

*« Il parla avec une certaine verve hâbleuse, excité par le vin
et par le désir de plaire. »* (Guy de Maupassant)

*« Ma tante m'enseignait qu'il est méprisable de s'adonner
à tout autre commerce que celui du vin. »*
(François Mauriac)

*« C'est au vin qu'ils ont dans le cœur que les Français
doivent d'être le peuple initiateur par excellence. »*
(Jules Michelet)

« Ils ne sont peut-être pas du tout flattés, les vieux vins, qu'un larbin vienne confier à l'oreille de tous les invités la date de leur naissance. » (André Mirabeau)

« Le champagne est le seul vin qui chante, réellement. » (Michel Onfray)

« Quand le vin est tiré, il faut le boire, surtout s'il est bon. » (Marcel Pagnol)

« Un repas sans vin est comme un jour sans soleil. » (Louis Pasteur)

« Le vin, essence de joie et de santé, extrait d'humour gaulois, reflet du doux pays de France. » (Raymond Poincaré)

« Le vin, il naît, puis il vit, mais point ne meurt, en l'homme il survit. » (Philippe de Rothschild)

« Le champagne aide à l'émerveillement. » (George Sand)

« Avant d'avoir bu le bon vin, nul n'a goûté le vin, ne l'a senti, donc ne le sait, n'a aucune chance de le savoir jamais. » (Michel Serres)

« Et tu boiras le vin de la vigne immuable,/Dont la force, dont la douceur, dont la bonté/Feront germer ton sang à l'immortalité. » (Paul Verlaine)

« Les deux denrées précieuses qui conservent à l'homme sa chaleur de 37 degrés : le vin et le charbon... » (Boris Vian)

« Les Français sont si fiers de leurs vins qu'ils ont donné à certaines de leurs villes le nom d'un grand cru. » (Oscar Wilde)

« Le vin, elle le pardonnait parce que le vin nourrit l'ouvrier. » (Émile Zola)

Les Gouttes de Dieu :
le vin en manga

Une étrange histoire est venue briser le calme d'un petit vignoble proche de Saint-Émilion en septembre 2010. Ce matin-là, Jean-Pierre Amoreau, dont la famille est propriétaire du Château le Puy, sur le coteau des Merveilles, depuis 13 générations et près de 400 ans, reçoit un nombre étrangement élevé de commandes de sa cuvée 2003. Une grosse centaine, contre habituellement moins d'une dizaine par jour. La raison ? La veille, un dessin animé japonais venait de consacrer sa cuvée 2003 comme le meilleur vin du monde, après un suspense qui durait depuis plusieurs mois.

Cette série télé, tirée d'un manga, une bande dessinée japonaise, s'intitule *Les Gouttes de Dieu*. L'intrigue, entièrement consacrée au vin, voit s'affronter deux frères, l'un naturel, l'autre adoptif, dans le but de recevoir l'héritage de leur père, un célèbre œnologue. L'homme, avant de mourir, avait laissé comme testament une série de 12 énigmes viticoles. Celui qui les résolvait le premier recevait son bien le plus précieux : sa cave, contenant la meilleure bouteille au monde, les fameuses gouttes de Dieu.

Et cette mystérieuse merveille n'était autre que la cuvée 2003 de Jean-Pierre Amoreau, vendue à l'époque seulement 15 euros la bouteille. Le vigneron aurait pu profiter de cette aubaine et vendre sa bouteille à prix d'or. Il en a décidé autrement : « *On voulait éviter que notre petit stock de 2003 parte en spéculation. Puisque notre vin venait d'être distingué, il était normal que nos clients traditionnels puissent y avoir accès à son véritable prix.* » Si le prix officiel a seulement augmenté de quelques euros depuis la diffusion du dessin animé, certaines bouteilles auraient été revendues plus de 1000 euros à Hong Kong. Il reste aujourd'hui environ 1200 bouteilles dans les caves du propriétaire, qui a un plan bien défini, à partir de 2020 : « *On lâchera alors 300 bouteilles avant d'attendre à nouveau dix ans et en vendre 200 autres, et ainsi de suite pour que dans 50 ans les générations futures puissent encore vendre ce millésime.* »

Pour l'occasion, Jean-Pierre Moreau a même reçu la visite de Yuko et Shin Kiyabashi, les créateurs de la bande dessinée, avec qui il a remonté une verticale jusqu'en 1917.

L'œnologie ou l'art de la dégustation

Formé des mots grecs *oînos*, « vin », et *logos*, « science », le mot œnologie désigne l'art de la connaissance du vin, de la culture de la vigne à la consommation du vin, en passant par la récolte du raisin, la vinification (transformation du moût en vin), l'élevage (les soins donnés au vin entre la fin de la fermentation et la commercialisation), la conservation et bien entendu la dégustation.

Il ne faut pas confondre le travail d'un œnologue avec celui d'un sommelier. Même s'il doit posséder des connaissances en œnologie, le sommelier exerce généralement son métier dans un restaurant, pour qui il gère la cave, tout en conseillant les clients. L'œnologue travaille quant à lui en partenariat avec les viticulteurs, qu'il conseille tout au long du processus de fabrication. Ainsi, il les aide à choisir les cépages, le terroir, ainsi que les traitements à appliquer aux vignes. Il donne un calendrier pour les vendanges et supervise leur déroulement. Il gère également les étapes de vinification et de distillation, et établit les processus de conservation, d'assemblage, d'élevage et de mise en bouteilles. Il analyse régulièrement la qualité du vin, afin d'en corriger, si nécessaire, les défauts. Pour cela, il est amené à goûter les vins pendant leur maturation et fait également déguster, dans un rôle plus commercial, les productions aux clients.

Les formations d'œnologie : devenez un expert

*L*a seule formation reconnue pour être œnologue professionnel est le diplôme national d'œnologie, proposé dans cinq universités à travers la France : Bordeaux, Dijon, Montpellier, Toulouse et Reims. Elle est réservée aux titulaires d'un diplôme de licence en biologie, chimie ou agronomie, et propose une formation intense sur deux ans, avec des enseignements portant, entre autres, sur la vigne et son milieu, les bases de la viticulture, la technologie de vinification, les techniques d'analyse des moûts et des vins, la filière viticole et sa réglementation, les analyses œnologiques et la dégustation professionnelle. Deux stages viennent ensuite compléter cette formation, et les titulaires du diplôme national d'œnologie pourront alors travailler pour des entreprises viticoles, des maisons de négoces, des laboratoires d'œnologie, des organisations syndicales ou encore des administrations d'État.

D'autres diplômes sur le monde du vin sont également proposés dans ces établissements, comme la licence professionnelle des métiers de la vigne et du vin, la licence en œnotourisme, le diplôme d'université d'aptitude à la dégustation, ou encore le diplôme d'université d'initiation à l'œnologie.

Mais pour les amateurs de vin qui désirent recevoir une formation plus légère en œnologie, notamment en dégustation, il existe de nombreuses écoles proposant des stages de formation sur mesure, et ce, dans toute la France. De la dégustation du vin à la présentation des grands crus région par région, en passant par la gastronomie, ces formations permettent d'apprendre à parler du vin avec des mots simples, de comprendre ses propres goûts et préférences, de mieux choisir ses vins à l'achat et de savoir associer les vins et les mets à chaque repas. Dans les vignobles ou en ville, ces formations sont accessibles à tous les amateurs de vin désireux de se perfectionner dans leur passion.

Mirer un vin :
savoir regarder

L'observation d'un vin est la première étape d'une dégustation. Cet examen, que l'on appelle l'œil, est utile pour déterminer la couleur d'un vin et sa nuance, son intensité, sa brillance, sa limpidité, sa transparence, son effervescence ainsi qu'un autre point très important : sa viscosité.

La couleur d'un vin s'observe de préférence à la lumière naturelle, devant un fond blanc mat, afin de ne pas altérer la vision. Il peut être utile de se servir d'un nuancier, tant les différentes teintes d'un vin peuvent varier, allant par exemple du jaune aqueux au café pour le vin blanc, et du violet à l'ocre pour le vin rouge. Lorsqu'on incline le verre pour élargir le disque (la surface) du vin, on peut déterminer la nuance de sa couleur, ce qui est un indicateur de l'état de vieillissement d'un vin : un blanc jeune a généralement une nuance verdâtre, tandis que le rouge est plus violacé ou bleuté. Leur vieillissement, appelé tuilage, est marqué par une nuance ambrée, puis acajou clair.

L'intensité, quant à elle, pouvant varier de légère à profonde, permet de déterminer, en fonction de sa provenance, la richesse du vin tandis que la brillance (d'éclatant à éteint) révèle sa vivacité. La limpidité d'un vin indique la présence, ou non, de trouble, qui peut indiquer une altération du vin. On dit alors qu'il est bourbeux, cassé ou chargé, ou, au contraire, limpide et transparent. Cette transparence peut aussi indiquer l'âge des vins, puisqu'ils ont tendance à perdre de leur intensité en vieillissant. L'effervescence d'un vin, c'est-à-dire la présence de bulles, due à la présence de CO2, n'est pas tout le temps un défaut, mais elle peut être la marque d'une altération pour un vin dit tranquille.

Enfin, il est important de mirer la fluidité d'un vin, appelée viscosité, en observant d'abord le ménisque, la couche supérieure du liquide : un ménisque épais marque un vin vigoureux, un ménisque plus transparent est le signe d'un vin plus vieux. Puis, en tournant dans le verre, le vin laisse un liquide sur les parois, et les gouttes qui s'en détachent s'appellent les larmes ou les jambes. Elles indiquent simplement la teneur en alcool du vin et sa lourdeur.

Humer un vin : savoir sentir

*S*i on préfère parler d'arômes plutôt que d'odeurs lorsqu'on évoque les propriétés olfactives d'un vin, il s'agit, lors de l'examen, d'identifier la qualité du nez, l'intensité et la dominante olfactive ainsi que la finesse des arômes, lesquels sont répartis en trois grandes familles. La première englobe les arômes primaires, ou variétaux, qui viennent du raisin lui-même et qui sont les plus volatiles, ce qui fait que l'on peut les sentir en premier, sans agiter le verre. Puis viennent les arômes secondaires, ou fermentaires, qui apparaissent lors des fermentations alcooliques et malolactiques du vin, et qui peuvent être plus ou moins intenses en fonction de la quantité de sucre dans le vin. Enfin, les arômes tertiaires, ou d'évolution, composent le bouquet du vin et sont issus de son vieillissement, allant généralement de floral ou du fruité vers des nuances plus fortes, minérales ou animales.

S'il est complexe d'identifier clairement l'arôme d'un vin, on parle alors de qualité (allant de désagréable ou peu plaisant à racé ou de grande classe) et de familles d'arômes. Les huit grandes familles d'arômes se composent ainsi : les arômes fruités (comme les fruits secs, verts, rouges, noirs, agrumes), les arômes floraux (fleurs et tisanes), les arômes boisés (bois de barrique ou de torréfaction), les arômes épicés (doux ou salés), les arômes végétaux (légumes, verts, sous-bois), les arômes minéraux (roches ou métaux), les arômes chimiques (peinture ou solvant) et les arômes animaux (cuir, sang ou sueur).

Certains cépages possèdent des signatures aromatiques bien particulières, comme les sauvignons blancs, faits de bourgeon de cassis, de buis, de citron vert, de silex et, même, au cas où il manquerait de maturité, de pipi de chat, qui est l'un des arômes de la famille animale…

Grumer, ou lamper le vin : savoir goûter

La troisième étape d'une dégustation, appelée le lampage ou le grumage, consiste à absorber une petite quantité de vin en bouche et à l'envoyer doucement vers le fond de la gorge sans pour autant l'avaler. Avant que le vin n'arrive vers la gorge, il faut alors pencher la tête vers l'avant, pour faire revenir le vin vers la bouche, et, dans le même temps, avec les dents supérieures sur la lèvre inférieure, aspirer de l'air pour à la fois empêcher le vin de sortir, le ventiler et faire monter sa température. Ainsi, tous les arômes sont exhalés et diffusés vers l'arrière-bouche. Pendant cette phase de grumage, il est primordial de continuer à « sentir » le vin, afin d'en apprécier toutes ses qualités gustatives.

En faisant circuler le vin sur les différentes parties de la langue, on arrive à distinguer les quatre saveurs élémentaires d'un vin : le sucré se perçoit immédiatement sur le bout de la langue, et il indique la teneur en alcool et la jeunesse d'un vin. L'acidité se sent sur les côtés et sous la langue, elle aussi rapidement, et elle donne de la fraîcheur en bouche. Le salé se perçoit également rapidement, et ce, dans toute la bouche, mais persiste plus longtemps que le sucré.

Enfin, l'amer, plus long à se développer, se perçoit vers le fond de la langue et perdure plus longtemps encore. Ces quatre sensations gustatives peuvent également être perçues selon l'altération de la salive : le sucré aura tendance à la rendre épaisse et visqueuse, l'acidité la fluidifie et l'augmente, l'amer la diminue, tandis que le salé ne l'altère que très peu. D'autres sensations gustatives plus complexes sont perceptibles pendant cette étape, et nous les développerons plus bas.

Cette étape de grumage permet également d'apprécier la consistance du vin, son moelleux, sa souplesse, son équilibre, sa texture, sa vivacité et sa persistance aromatique. Ces éléments sont perceptibles au cours de trois étapes bien précises, que nous développerons plus bas : l'attaque, les deux ou trois premières secondes en bouche, le milieu, où les saveurs se développent, et enfin la finale, où on apprécie la longueur, c'est-à-dire le temps pendant lequel l'arôme persiste en bouche après qu'on a craché ou avalé le vin.

L'attaque en bouche : premières impressions

*P*remière étape de l'analyse gustative, l'attaque en bouche, également appelée première impression, consiste à prendre en bouche une petite quantité de vin, généralement entre un et deux centilitres, afin, tout d'abord, de déterminer le niveau d'intensité du moelleux, qui est la première impression ressentie en bouche à travers l'alcool et les sucres résiduels. En fonction de son intensité, le moelleux peut bénéficier d'une rondeur, d'un volume et d'un gras (qui indique le toucher du vin) plus ou moins importants. Puis, juste après avoir déterminé la teneur en sucre, la sensation acide fait son apparition. Le but de cette étape est alors de déterminer l'équilibre entre le moelleux et l'acide.

On parlera ainsi d'une attaque en bouche vive, nerveuse, minérale, tendue ou fraîche pour un vin à l'acidité dominante de qualité, ou alors d'attaque en bouche acerbe, saillante, agressive ou anguleuse pour en présenter les défauts. Pour un vin plus chargé en alcool ou en sucre résiduel, plus rond et moelleux, on préférera dire que l'attaque en bouche est souple, sphérique ou ronde si le vin est de qualité, ou alors d'attaque en bouche molle, lourde, pommadée ou maigre pour en exprimer les défauts.

Les variations de la palette

L'évaluation de l'évolution du vin en bouche, dite aussi la palette, est la seconde étape de l'analyse gustative du vin. Elle sert à comprendre les variations des qualités du vin au cours de la dégustation, après l'attaque, et avant d'avaler ou de recracher le vin. Également appelée « la bouche », elle suit les premières impressions de l'attaque, une sorte de développement des arômes du vin, accentué par le grumage, présenté quelques chapitres plus haut. La rétro-olfaction permet ainsi de capturer toute la flaveur du vin, ce mélange de goût, d'odeur et de texture. C'est dans cette phase que l'on constate les goûts les moins volatiles, qui mettent un peu plus de temps à se faire sentir, comme le salé ou l'amertume, mais également les tanins (les éléments solides du vin), l'astringence (qui provoque une crispation des muqueuses), l'umami (dite « la cinquième saveur »), le gras (le caractère onctueux du vin), le pétillant ou encore les sensations pseudo-thermiques, dues à une présence plus forte d'alcool ou d'éléments acides.

Il arrive souvent que les impressions procurées lors de l'évolution soient très différentes de celles de l'attaque. Par exemple, un vin à l'attaque moelleuse peut donner une finale amère, et c'est cette analyse de l'évolution du goût en bouche qui permet de ressentir toutes les qualités du vin.

La longueur en bouche
ou la persistance du plaisir

*L*a longueur en bouche, également appelée persistance aromatique intense, ou PAI, est la période calculée en secondes et exprimée en caudalies (où une caudalie équivaut à une seconde), pendant laquelle les arômes du vin restent en bouche après son évacuation buccale, c'est-à-dire après qu'il a été recraché ou avalé. Les arômes à prendre en compte pour calculer la longueur en bouche ne sont pas le sucré, l'acide, l'amer ou le salé, mais les plus tenaces et plus complexes. La fin de la perception des arômes est notamment marquée par une reprise de la salivation.

C'est cette longueur en bouche qui permet d'évaluer la qualité finale d'un vin. Ainsi, un vin long en bouche est considéré comme riche en matières qui s'accrochent sur le palais et qui diffusent leurs parfums ; à l'inverse, un vin court en bouche sera considéré comme moins bon. On estime que la bonne moyenne pour un vin est une longueur de 10 à 12 caudalies, qu'un vin est mauvais en dessous de 6 caudalies, et que sa qualité est exceptionnelle lorsqu'elle atteint les 15, voire les 20 caudalies.

Néanmoins, cette longueur seule ne suffit pas à exprimer la supériorité gustative d'un vin, puisqu'il faut également juger de l'intensité et de la qualité de cette longueur. Ainsi, certains connaisseurs préfèrent des vins plus courts en bouche mais plus équilibrés et nets plutôt que des vins plus longs en bouche mais trop amers ou alcooleux.

La longueur en bouche, qui est le plus souvent considérée lors des dégustations, est pourtant très importante à table, puisqu'elle permet d'apprécier encore plus profondément des associations avec des aliments bien choisis. Enfin, il faut bien faire attention à ne pas confondre la persistance aromatique intense et l'arrière-goût d'un vin, qui n'exprime en réalité qu'un défaut gustatif.

De l'ail au zest : les arômes du vin en dégustation

*V*oici le tableau des différentes familles d'arômes, avec leurs composants :

Les arômes fruités :

- **FRUITS VERTS** : kiwi, citron vert, melon vert, groseille à maquereau.
- **FRUITS BLANCS** : pomme, poire, pêche de vigne, coing.
- **FRUITS ROUGES** : fraise, framboise, groseille, cerise.
- **FRUITS NOIRS** : mûre, myrtille, cassis.
- **FRUITS JAUNES** : pêche, abricot, nectarine, brugnon, prune.
- **FRUITS EXOTIQUES** : ananas, mangue, fruits de la passion, figue, datte, litchi.
- **AGRUMES** : citron, orange, pamplemousse, écorce d'orange, zeste, zeste confit.
- **FRUITS SECS** : amande, noix, noisette, raisin sec, figue sèche, pistache, pruneau cuit.

Les arômes floraux :

- **FLEURS** : rose, pivoine, chèvrefeuille, acacia, églantine, giroflée, violette, géranium, genêt, jacinthe, résédas.
- **TISANES** : verveine, camomille, tilleul, aubépine, oranger.
- **DÉRIVÉS** : miel, cire.

Les arômes boisés (ou balsamiques) :

- BOIS DE BARRIQUE : chêne français, chêne américain, cèdre, vanille.
- BOIS EMPYREUMATIQUE (DE TORRÉFACTION) : fumé, café, cacao, caramel, goudron, pain grillé, toasté.

Les arômes épicés :

- ÉPICES DOUCES : cannelle, vanille, cardamome, réglisse.
- ÉPICES SALÉES : poivre, poivron, clou de girofle, muscade.

Les arômes végétaux :

- LÉGUMES : poivron, poireau, ail, chou, artichaut, petits-pois, haricot vert, laitue.
- SECS : foin, paille, thé.
- VERTS : herbe coupée, eucalyptus, lierre, chlorophylle, bourgeon de cassis, buis.
- SOUS-BOIS : humus, champignon de Paris, fougère, feuilles mortes, terre humide.

Les arômes minéraux :

- ROCHES : pierre à fusil, silex, caillou, argile, hydrocarbure.
- MÉTAUX : cuivre, fer, aluminium.

Les arômes chimiques :

- PEINTURE, SOLVANT, VERNIS À ONGLES, GOUDRON.

Les arômes animaux :

- CUIR, FOURRURE, GIBIER, VENTRE DE LIÈVRE, BOUILLON DE VIANDE, SANG, SUEUR, PIPI DE CHAT.

Savoir patienter : le potentiel de garde d'un vin

*L*e potentiel de garde d'un vin désigne le moment où le vin atteint son état d'évolution maximale, et il varie bien entendu en fonction des cépages, des régions et des millésimes. On parle ainsi d'apogée et de longévité, deux notions qu'il faut faire très attention à ne pas confondre. La première désigne le moment auquel le vin atteindra sa qualité gustative optimale, la seconde indique seulement la période pendant laquelle le vin est consommable.

Si les champagnes peuvent jouir d'un potentiel de garde allant jusqu'à dix ou vingt ans, ils sont généralement commercialisés lorsqu'ils ont atteint leur apogée, et ils doivent être consommés dans les deux à trois ans après achat. Les vins blancs ont généralement un temps de conservation beaucoup plus court, d'un maximum de trois ans, bien que quelques grands vins de Bordeaux, de Bourgogne ou de Loire puissent bien vieillir pendant dix ans. Les vins plus liquoreux peuvent, eux, être consommés jusqu'à quinze ans. Pour les vins rouges, tout dépend de leur provenance. Les vins de Savoie et de Méditerranée se boivent jeunes, jusqu'à quatre ans en général. La plupart des autres vins atteignent leur apogée entre cinq et dix ans, tandis que les grands crus peuvent attendre vingt ans, et parfois plus.

Pour savoir si vous devez consommer rapidement votre vin (mieux vaut le boire trop jeune que trop vieux), il faut tenir la bouteille inclinée à 45 degrés et vérifier sa couleur devant une ampoule électrique. Si elle est pâle et orangée, il est temps de l'ouvrir. Si votre bouteille contient beaucoup de lie, il est également temps de la décanter.

Pour connaître le potentiel de garde de chaque vin, référez-vous à la carte des millésimes. Vous trouverez ci-dessous un tableau indicatif pour quelques vins :

Régions et types	Apogée	Longévité
Alsace, blancs secs	5 à 8 ans	10 ans
Alsace, vendanges tardives	5 à 20 ans	30 ans
Bordeaux, blancs secs, AOC Pessac-Léognan	4 à 5 ans	8 ans
Bordeaux, rouges, crus classés, crus bourgeois, AOC Médoc, Saint-Émilion, Graves, Pomerol	5 à 20 ans	15 à 40 ans
Bourgogne, blancs secs, Chablis, Chassagne-Montrachet, Meursault, Montrachet, Puligny	5 à 10 ans	20 à 30 ans
Bourgogne, rouges, grands crus et premiers crus de la Côte d'Or	8 à 12 ans	20 à 30 ans
Côtes du Rhône, rouges, Côtes-Rôties, Hermitage, Châteauneuf-du-pape	6 à 12 ans	25 à 30 ans
Sud-Ouest, appellation Cahors	3 à 8 ans	10 à 12 ans
Sud-Ouest, appellation Madiran	4 à 10 ans	15 ans
Vallée de la Loire, blancs moelleux	5 à 15 ans	10 à 25 ans
Vins du Sud-Ouest, blancs moelleux (Jurançon, Montbazillac)	5 à 10 ans	15 ans
Vins du Beaujolais (hors primeurs)	1 à 4 ans	4 à 8 ans
AOC Bordeaux, blancs secs	1 à 2 ans	3 ans
AOC Bordeaux, rouges	3 à 8 ans	12 ans
AOC Bourgogne, blancs	1 à 4 ans	3 à 8 ans
AOC Bourgogne, rouges	3 à 7 ans	8 à 10 ans
Côtes du Rhône, blancs et rosés	1 à 3 ans	1 à 3 ans
Côtes du Rhône, rouges	2 à 5 ans	6 à 8 ans
Vins du Languedoc, rouges	2 à 4 ans	4 à 8 ans
Vins de Provence et de Corse, rouges	2 à 4 ans	4 à 8 ans
Vins de Loire, blancs	1 an	2 à 3 ans
Vins de Loire, rouges	1 à 6 ans	6 à 8 ans
Bourgueil, Chinon, Saumur-Champigny	3 à 8 ans	8 à 12 ans
Vins du Sud-Ouest, rouges	2 à 4 ans	4 à 8 ans

Odeur de bouchon et autre piqûre ascétique : les défauts du vin

Lors de la dégustation, plusieurs défauts peuvent apparaître, qu'ils soient visuels, olfactifs et gustatifs. En voici une sélection :

Défauts visuels

Un défaut de limpidité est le défaut visuel le plus courant. On parle de casses métalliques ou oxydassiques pour signifier un excès de cuivre ou une vendange pourrie, provoquant des colorations bleuâtre, blanchâtre ou brunâtre en fonction du vin. La maladie de la fleur est quant à elle visible grâce à un voile blanchâtre à la surface du vin. Elle est due à la présence de la *Candida mycoderma*, qui transforme l'alcool en éthanal. Des reflets verts dans un vin blanc indiquent le manque de maturité des raisins à la récolte, ou la présence de chlorophylle dans le vin. Enfin, la graisse, visible grâce à des filaments blanchâtres dans le vin qui lui confère un aspect huileux et filant, est due à la présence de bactéries lactiques.

Défauts olfactifs

L'odeur de bouchon, le défaut le plus fréquent, est due à la mauvaise qualité du bouchon, dont le liège contamine le vin. Dans ce cas, le cul du bouchon ne sent généralement que le liège. L'odeur d'oxydation est provoquée par une oxygénation lente et prolongée du vin, et elle est perceptible à travers des odeurs de noix, de pomme très mûre et de blette. À l'inverse, l'odeur de réduit indique la présence de soufre ou de mercaptan dans le vin, et elle se distingue par une odeur de renfermé, de moisi, de champignon ou de cuir, et une lente décantation peut parfois arranger le vin. Enfin, l'odeur vinaigrée, ou piqûre ascétique, indique le mauvais état sanitaire de la vendange. On trouve alors une odeur de vinaigre.

Défauts gustatifs

L'amertume, liée à la présence de matière végétale dans les moûts, se perçoit au fond de la langue. Elle est parfois liée à l'astringence de tanins grossiers de certains vins rouges, qui bloquent la sécrétion de la salive. Quand un vin est très astringent, on dit alors qu'il a de la mâche. La piqûre lactique, due à la présence de sucres résiduels, donne un goût aigre-doux à cause de la présence d'acide acétique et de sucres. Une forte acidité, perçue par une irritation du palais, peut indiquer, quant à elle, une réduction. Un goût de pourri vient généralement de raisins atteints de pourriture grise.

185

Le vin fermé : quand boire son vin ?

L'évolution d'un vin n'est pas linéaire, et tous les vins n'évoluent pas de la même façon en se bonifiant tout simplement avec l'âge, devenant meilleurs mois après mois, année après année. Après sa mise en bouteilles, le vin entre dans un moment dit de « la maladie de la bouteille », où pendant quelques semaines ou quelques mois il est à éviter. Le vin est en quelque sorte choqué par sa sortie du fût, et ses qualités gustatives déclinent fortement. Puis, il va s'ouvrir à nouveau, et on dira qu'il est « sur le fruit », c'est-à-dire qu'il est encore assez jeune et qu'il n'exprime pour l'instant que des arômes immédiats, généralement fruités, primaires et secondaires. Si le vin n'est pas mauvais à ce moment-là, sa structure et son goût boisé prennent une place trop importante.

C'est après cette période que le vin se referme. Sa matière semble s'être endormie et ne s'exprime plus aussi distinctement, et sa structure garde ainsi toujours trop d'importance. Au goût, il délivre peu d'arôme, et son nez est considéré comme austère. Ce n'est qu'après cette deuxième fermeture que le vin se bonifie pour atteindre son apogée, après laquelle il décline et se vide de sa substance.

Tous les vins ne répondent évidemment pas à cette description. Certains ne se ferment pas du tout, tandis que d'autres peuvent se fermer pendant une période très longue sans jamais se rouvrir. Pour certains spécialistes, quelques crus, comme les vins blancs de Loire à base de chenin, ou le Sociando-Mallet du Haut-Médoc, auront plus tendance à se fermer.

La question se pose alors de savoir à quel moment boire son vin pour éviter de le déguster lorsqu'il ne donne pas le maximum de son potentiel. En partant du principe qu'il vaut mieux ouvrir un bouteille trop tôt que trop tard, quand le vin aura dépassé son apogée et commencé son déclin, certains pensent qu'il est préférable de consommer un vin lorsqu'il est sur le fruit. Sans essayer de faire de généralité, la meilleure solution reste de se conférer à la carte des millésimes et de trouver des analogies avec des vins équivalents.

L'impression générale : savoir évaluer un vin

Après avoir réalisé les trois étapes fondamentales de la dégustation d'un vin (visuelle, olfactive et gustative), et après avoir bien pris soin de la diviser en trois étapes (attaque, évolution et longueur) vient le moment de donner une évaluation globale au vin goûté. Les analyses de la couleur et de la texture observées, puis des arômes et des saveurs correspondent-elles aux impressions gustatives et à la longueur en bouche ?

Les trois étapes de la bouche sont-elles équilibrées ? C'est cet équilibre, que l'on appelle l'harmonie du vin, qui permet de donner un avis. Un vin peut par exemple avoir une attaque en bouche vive, acide, avant de proposer des arômes de fruits lors de l'évolution et de terminer sur des notes animales et très longues en bouche. Un autre vin peut, en revanche, rester sur une dominante identique jusqu'à l'évacuation buccale et ne rien proposer de plus.

Cet exercice permet de différencier des vins technologiques, c'est-à-dire qui ont subi des manipulations par l'exploitant, et des vins de terroir et de cépages. Les premiers sont plus faciles à boire, plaisants, mais n'évoluent presque pas en bouche puisque leurs arômes sont trop stables. Au contraire, un vin de terroir est plus complexe et a tendance à vivre en bouche, à proposer des saveurs plus subtiles et évolutives. C'est là même tout l'intérêt de la dégustation : dépasser ses a priori, aller au-delà de ses sensations immédiates et s'efforcer de chercher ce qui se cache derrière les premiers arômes, derrière les flaveurs les plus évidentes.

Le but sera alors de distinguer les vins dits explosifs (qui sont caractérisés par leur générosité, mais qui se perdent souvent après cette première impression) des vins dits de transparence (plus subtils et complexes, moins évidents, et dont la lecture est autant un apprentissage qu'une récompense).

Un vin léger, corsé, généreux, capiteux : le corps du vin

*L*es définitions du corps du vin sont nombreuses et parfois contradictoires. Épaisseur du liquide pour certains, ensemble formé par la charpente et la chair du vin pour d'autres, le corps est pour la plupart, de la façon la plus simple, la teneur en alcool d'un vin, et son équilibre avec la texture et les arômes. On dit d'un vin qu'il a du corps quand il offre une impression de poids, et qu'il est riche et fort en alcool.

Il existe de nombreux qualificatifs pour évoquer cet aspect d'un vin, de faible à chaud, et en voici les principaux :

- CAPITEUX : pour un vin rouge riche en alcool, avec un degré très élevé.
- CHAUD : pour un vin qui procure une sensation de chaleur due à l'alcool.
- CORSÉ : pour un vin qui a du corps, est bien charpenté et a du mordant. Parfois trop.
- COULANT : pour un vin agréable et léger, peu acide et faible en alcool.
- ÉTOFFÉ : pour un grand vin corsé.
- GÉNÉREUX : pour un vin riche en alcool, puissant, mais sans excès. Entre léger et capiteux.
- LÉGER : pour un vin tendre, peu corsé et alcoolisé. Entre faible et généreux.
- LOURD : pour un vin très corsé et très alcoolisé, parfois peu subtil.
- MAIGRE : pour un vin fade, pauvre en alcool.

- **Nerveux** : pour un vin puissant, corsé et équilibré.
- **Pâteux** : pour un vin assez lourd et riche en alcool.
- **Puissant** : pour un vin étoffé, corsé, riche en alcool. Un vin chaleureux.
- **Rond** : pour un vin bien équilibré, corsé et agréable.

Un vin mou, frais, nerveux, vert : l'acidité du vin

L'acidité est la sensation tactile éprouvée sur les côtés de la bouche et de la langue. Elle est provoquée par les acides gras contenus dans le vin. Au même titre que le corps du vin, et aussi importante que lui, elle constitue la colonne vertébrale, ou la charpente du vin. Ainsi, on dit souvent qu'un vin est supporté par une bonne acidité, qui s'équilibre avec le moelleux et l'astringence.

Plusieurs niveaux d'acidité existent, de frais à vert, et en voici les principaux :

- **Acerbe** : pour un vin âpre et vert, avec beaucoup de tanins et un taux élevé d'acidité.
- **Acide** : pour un vin ayant une acidité trop élevée.
- **Acidulé** : pour un vin légèrement acide. Entre nerveux et vert.

- **AIGRE** : pour un vin dont l'acidité est proche de celle du vinaigre.
- **COULANT** : pour un vin léger et agréable, au taux d'acidité faible.
- **DUR** : pour un vin astringent et acide.
- **FRAIS** : pour un vin jeune légèrement acide, désaltérant et rafraîchissant.
- **MOU** : pour un vin maigre, manquant nettement d'acidité.
- **NERVEUX** : pour un vin dont l'acidité est puissante, mais sans excès. Entre vif et acidulé.
- **PLAT** : pour un vin neutre, peu savoureux, manquant d'acidité.
- **VERT** : pour un vin trop jeune, acerbe, provenant de raisins pas assez mûrs.
- **VIF** : pour un vin dont le degré d'acidité est situé entre frais et nerveux, peu acide.
- **SOUPLE** : pour un vin agréable et harmonieux, peu acide.

Un vin sec, moelleux, liquoreux : le sucre

*S*aveur la plus primitive d'un vin, qui a tendance à diminuer avec le temps, le sucre (celui du raisin, ou celui qui reste après la fermentation alcoolique, le sucre résiduel) marque fortement le goût du vin, ainsi que sa texture. De sec à liquoreux, passage en revue des différents qualificatifs du caractère sucré des vins.

- **Âcre** : pour un vin ayant un taux de sucre résiduel peu élevé, qui irrite les muqueuses.
- **Aimable** : pour un vin tendre, avec une présence de sucre résiduel.
- **Douceâtre** : pour un vin dont l'excès de sucré provoque une sensation désagréable.
- **Doux** : pour un vin qui possède encore les sucres naturels du raisin présents avant la fermentation.
- **Liquoreux** : pour un vin riche en sucre.
- **Moelleux** : pour un vin qui possède un fort taux de sucre résiduel, donnant une impression de souplesse, d'onctuosité et de gras.
- **Sec** : pour un vin qui ne possède pas de sucre, ou dans lequel on ne perçoit pas de saveur sucrée.

On parle également de vin gras, ou velouté, pour évoquer la sensation onctueuse et agréable laissée par des vins doux, moelleux et liquoreux.

Un vin souple, dur, tannique, astringent : la texture du vin

Les vins n'ont pas seulement un goût, des saveurs ou des arômes, ils ont aussi une consistance, une texture, qui donnent au palais, aux joues et à la langue des sensations qui dépassent le cadre purement olfactif ou gustatif. Les tanins jouent un rôle très important dans cette sensation tactile.

- **AGRESSIF** : pour un vin trop robuste en bouche, presque désagréable.
- **ASTRINGENT** : pour un vin provoquant une crispation du palais, de la langue et des joues à cause de la présence de tanins et de polyphénols.
- **CHARPENTÉ** : pour un vin solide, dont la présence de tanins favorise le vieillissement.
- **CHAIR** : pour un vin qui emplit la bouche.
- **COULANT** : pour un vin laissant une sensation de souplesse.
- **DUR** : pour un vin astringent et acide.
- **FONDU** : pour un vin qui présente un ensemble souple et harmonieux.
- **GROSSIER** : pour un vin dont les tanins sont trop durs.
- **MÂCHE** : pour un vin qui laisse une sensation d'épaisseur en bouche peu agréable.
- **RAIDE** : pour un vin dur en bouche et manquant de souplesse.
- **ROND** : pour un vin souple, donnant une sensation de rondeur en bouche.
- **SÉVÈRE** : pour un vin dur et sans bouquet.

- **Souple** : pour un vin dont le moelleux et le fruité sont plus importants que l'acidité et les tanins.
- **Soyeux** : pour un vin dont les tanins sont d'une grande qualité.
- **Suave** : pour un vin qui possède de grandes qualités tactiles en bouche.
- **Tannique** : pour un vin riche en tanins, avec une dominance astringente.

Champagne : crémeuse, fine, grossière ... La mousse

Venant de la deuxième fermentation du champagne, opération également appelée prise de mousse qui donne naissance à du dioxyde de carbone juste avant la phase de vieillissement, la mousse est l'un des éléments principaux à observer et à analyser lors de la dégustation du champagne. Il existe plusieurs points à observer, que nous allons voir maintenant, pour déterminer la qualité d'une mousse. L'analyse des bulles fera quant à elle un chapitre à part entière.

Tout d'abord, il faut apporter une attention particulière au cordon de la mousse, c'est-à-dire à sa taille : prend-il la totalité du verre, la moitié, le quart, ou est-il considéré comme périphérique (c'est-à-dire limité) ou inexistant ? Ensuite, quel est son aspect ? La mousse peut être crémeuse, fine, moyenne ou grossière. Puis, en se fiant aux nuances propres aux vins blancs, on détermine sa couleur. Elle peut être qualifiée de blanche, jaune ou sale. Puis, il convient d'examiner la persistance de cette mousse, c'est-à-dire l'évolution de sa qualité dans le temps : elle peut être excellente, très bonne, bonne, moyenne, faible, très faible ou nulle. Enfin, dernière étape avant l'analyse de ses bulles, il faut observer le dégagement gazeux du champagne, signe de sa vitalité, qui peut être qualifié d'impétueux, d'important, de moyen ou de faible.

La propreté du verre, comme nous le verrons pour l'analyse des bulles du champagne, peut avoir une forte influence sur l'état de la mousse. En effet, un verre sale et gras annihilera la force et les principales qualités de la mousse, tandis qu'un verre trop propre et sans aucune graisse empêchera sa formation.

Champagne : légères, lourdes, fines ou grossières … Les bulles

Un verre de champagne peut contenir jusqu'à deux millions de bulles, et leur comportement est un indicateur important de la qualité du vin. Plusieurs critères sont à prendre en compte pour déterminer la qualité du champagne.

Les amateurs de champagne préfèrent des bulles très petites, dont la montée depuis le fond du verre doit être en colonnes ininterrompues (on appelle ces colonnes des trains de bulles). Si on aperçoit de grosses bulles, qui se forment de manière aléatoire (on dit alors que ce sont des bulles en œil de crapaud), le champagne est considéré comme de faible qualité. La rapidité des bulles est aussi un gage de qualité : elles doivent remonter rapidement, mais pas trop. Les bulles sont-elles lourdes ou légères ? Ont-elles tendance à coller au verre ? Sont-elles inexistantes ?

Comme nous le disions dans le chapitre précédent, la formation des bulles dépend fortement du verre et de sa propreté. Les bulles se forment en partie au contact des aspérités et des irrégularités de la surface de l'air, mais également au contact des fibres de cellulose des torchons utilisés pour essuyer les verres.

Ainsi, si aucune bulle n'apparaît dans un verre, c'est qu'il est trop lisse ou trop propre. Tout dépend de l'importance des sites de nucléation du verre, qui sont liés à la présence d'impuretés.

Les meilleures techniques pour obtenir le plus de bulles dans votre champagne sont les suivantes : il convient d'abord d'essuyer le verre avec un torchon, ce qui a pour effet de stimuler l'effervescence. Ensuite, lors de l'ouverture de la bouteille, il vaut mieux tourner la bouteille que le bouchon, afin d'éviter de le faire éclater, ce qui a tendance à faire trop échapper le gaz.

Certains amateurs préfèrent incliner le verre à 45 degrés afin de conserver les bulles, mais d'autres optent pour un service verre droit, afin que les bulles ne remontent pas dans le nez du dégustateur.

Vin de terroir contre vin technologique

On oppose souvent deux grandes catégories de vin : les vins dits de terroir et les vins dits technologiques. Mais que révèlent de telles appellations ? On parle de vin de terroir pour un vin dont le goût est propre à une région, à sa topographie, son climat (et à ses variations) et à son sol. Ainsi, pour le même cépage, un vin sera différent de son voisin, provenant de vignes cultivées à quelques kilomètres de là, parce que l'exposition au soleil, la culture des vignes et les étapes de la transformation seront différentes entre les deux exploitations. On attribue au vin de terroir des propriétés naturelles, où la main de l'homme n'aurait qu'un impact réduit sur le produit final, puisque la matière première est ce qui donne au vin tout son goût et toutes ses qualités. Ainsi, un vin de terroir possède un caractère unique, inimitable, et on parle alors de typicité d'un vin. Dans cette idée de terroir, comme le montre le système d'AOC, on dit que le vin est le reflet de la terre et d'un climat, et que l'homme n'existe pas.

Les vins technologiques, également appelés standardisés, sont au contraire des vins produits pour atteindre un objectif précis. L'idée de spécificité, de typicité est gommée pour obtenir un vin qui correspond parfaitement aux envies du producteur et de certains consommateurs. Ainsi, lors des différentes étapes de production, on ajoutera du sucre, procédera à une acidification ou à une désacidification, à une concentration du moût, à une stabilisation du vin, ou encore à une thermovinification. Les amateurs parlent alors de vins passe-partout, sans émotion, sans poésie, qui

proposent exactement le même goût, d'où l'idée de stan-
dardisation et d'uniformisation, qui vont à l'encontre de la
diversité propre aux productions viticoles.

Le vin et les arts de la table

*I*l suffit de voir le nombre de pièces de vais-
selle dédiées au service du vin (verres à
bourgogne ou bordeaux, flûtes et seau à
champagne, tire-bouchons, etc.) pour comprendre la place
prépondérante qu'il occupe à table. Des siècles d'usage
ont fait émerger des outils, des règles et des traditions, qui
forment ensemble l'art de servir le vin.

Cet art est pratiqué au niveau professionnel par
le sommelier, qui connaît le vin, sait lequel choisir et
conseiller en toutes circonstances pour accompagner au
mieux un plat ou un autre, mais connaît également les
températures idéales à respecter ou les verres à utiliser. On
ne peut pas en effet se prétendre expert en vin sans en
maîtriser les règles de son service. Certaines relèvent du
pur savoir-vivre à la française et de la politesse, d'autres
sont des consignes essentielles à respecter si on veut mettre
en valeur le vin qui sera dégusté.

Afin de ne pas commettre d'impair lorsqu'on reçoit ou
qu'on est invité, au restaurant ou chez des particuliers, et
de connaître toutes les pratiques liées au service du vin,

vous trouverez de quoi vous forger de solides connaissances élémentaires dans les chapitres suivants.

La sommellerie : le vin sur le bout des doigts

Le sommelier a des compé-
tences pointues en dégustation du vin, en œnologie et en
accords mets et vins. Il conseille les clients des
restaurants, mais peut exercer dans d'autres
établissements qui vendent du vin, comme
les magasins et entreprises de vente diverses.
Certains sommeliers conseillent des négociants
en vins et des coopératives, parfois d'importants vignerons indépendants.

Ce poste, très particulier, nécessite des
connaissances et une formation hyper spécia-
lisées. De ce fait, et pour des raisons écono-
miques, seuls les restaurants prestigieux peuvent employer
un sommelier à plein temps. Les bars à vins mettent généralement en avant ce rôle, souvent tenu par le propriétaire.

Le sommelier a, en principe, la charge des achats de vin.
Il doit pour cela tenir compte du budget de la maison, des
goûts, des attentes et des moyens des convives. En fonction

de la carte de l'établissement, qui est sans cesse renouvelée, il gère la cave du restaurant, qu'il doit connaître parfaitement afin de pouvoir conseiller au mieux les clients quant aux accords entre mets et vins.

Des concours réservés aux professionnels sont régulièrement organisés dans le monde entier, qui viendront ajouter au prestige d'un établissement si son sommelier en a été lauréat. On peut par exemple citer les concours du meilleur sommelier de France, d'Europe et du monde, mais également celui du meilleur ouvrier de France dans la catégorie sommellerie.

Des palaces aux restaurants gastronomiques : le vin et le luxe

*D*ans un restaurant gastronomique ou un très grand hôtel, on ne plaisante pas avec le vin. Il faut être capable de répondre aux moindres attentes d'une clientèle particulièrement exigeante et disposer d'une cave qui couvre tous les cas de figure. Une carte des vins d'une quarantaine de pages et une réserve de 30 000 bouteilles n'ont rien d'inhabituel dans l'univers du luxe.

Un établissement de grand renom se doit de faire figurer sur sa carte tous les grands crus classés, les meilleurs champagnes et le fin du fin de la production de chaque région, voire de chaque pays du monde, en les classant par provenance, domaine et millésime. Si le client ne trouve pas son bonheur malgré tout, le sommelier est là pour lui dénicher la perle rare dans la réserve de la maison qu'il connaît par cœur. Il est incollable sur les qualités et les caractéristiques de chaque cru, leur millésime, leur provenance et leur harmonie par rapport au plat choisi. Après avoir pris la commande, il va chercher la bouteille, s'assure que le vin est à la température voulue ou fait en sorte qu'il le devienne, puis il ouvre la bouteille devant le client en respectant tous les codes extrêmement formels de la grande restauration, lui fait goûter le vin et le sert dans le plus beau cristal en prenant soin de choisir la forme de verre la plus adaptée au cru choisi.

Par conséquent, le vin est souvent hors de prix dans ce type d'établissements. Bien entendu, les grands crus sont chers quoi qu'il arrive, mais la marge des grands restaurants peut monter jusqu'à dix fois le prix de la bouteille ! Certes, stocker les vins, les mettre dans des verres adaptés, employer un personnel compétent, tout cela coûte cher. Il faut aussi prendre en compte toutes les bouteilles qui sont refusées, soit parce que le vin est prématurément oxydé ou bouchonné, ce qui arrive de plus en plus souvent, soit parce qu'il ne correspond pas au goût du consommateur. Mais les marges des restaurants français restent supérieures à celles de tous les autres pays européens.

À la bonne franquette

*L*oin des établissements de luxe, certains restaurants optent pour un style plus détendu et convivial, voire une ambiance familiale. Moins guindés et moins chers, ils n'en restent pas moins, dans certains cas, des monuments de la gastronomie française, mais dans des registres généralement populaire ou régional. Dans ces maisons, le vin est mis à l'honneur, mais pas du tout de la même manière que dans un restaurant étoilé.

L'exemple typique est le bistro parisien ou le bouchon lyonnais. La cuisine doit y être bonne, légèrement rustique, respecter les codes régionaux, et les prix doivent être abordables. Quant au vin, il pourra s'agir de crus provenant de petits producteurs régionaux confidentiels mais excellents, proposés pour des sommes modiques, ou de bouteilles de qualité plus moyenne, le principal étant de partager un bon moment et des plaisirs gourmands, et tant pis si on n'est pas un gourmet. Le choix de la carte des vins ne sera jamais aussi large que dans une maison de luxe, et le service sera sommaire : ce sera le plus souvent aux convives de se servir durant le repas. Mais c'est précisément ce qu'on recherche dans ce type d'endroit : un repas à la bonne franquette, sans chichis.

Dans certains de ces restaurants, le vin sera servi au pichet ; dans d'autres, on pratiquera le droit de bouchon, c'est-à-dire qu'en échange d'une somme raisonnable, les clients peuvent apporter leurs propres bouteilles et boire ainsi exactement le vin qu'ils souhaitent à moindre coût.

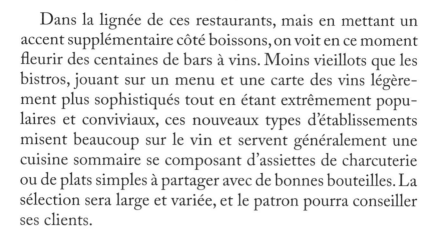

Dans la lignée de ces restaurants, mais en mettant un accent supplémentaire côté boissons, on voit en ce moment fleurir des centaines de bars à vins. Moins vieillots que les bistros, jouant sur un menu et une carte des vins légèrement plus sophistiqués tout en étant extrêmement populaires et conviviaux, ces nouveaux types d'établissements misent beaucoup sur le vin et servent généralement une cuisine sommaire se composant d'assiettes de charcuterie ou de plats simples à partager avec de bonnes bouteilles. La sélection sera large et variée, et le patron pourra conseiller ses clients.

Les codes du vin
au restaurant

u restaurant, la commande et le service du vin sont extrêmement codifiés. Les bonnes pratiques varieront selon qu'il s'agit d'un repas galant ou d'un dîner d'affaires. En couple, les femmes n'ont traditionnellement aucun rôle à tenir dans le choix du vin. C'est l'homme qui décide, et c'est à lui qu'on le fait goûter. De plus en plus, la gent féminine peut être consultée, mais la décision définitive et les interactions avec le serveur seront à la charge des hommes.

Pour les repas d'affaires, c'est la personne qui a lancé l'invitation qui est responsable du choix du vin, mais vous pouvez tout à fait consulter votre invité, surtout si vous le savez connaisseur. Cependant, il faut toujours proposer d'abord à la table, car de nombreux déjeuners d'affaires se font dorénavant sans alcool.

Si la table opte pour du vin, mais que vous ne souhaitez pas en consommer, la façon la plus habile de procéder consiste à accepter une petite quantité de vin et à ne pas le boire. Votre verre restant rempli, on ne vous en proposera plus.

Les choses se compliquent si la personne qui a organisé le repas d'affaires est une femme et qu'elle a invité un homme. Les pratiques à observer au restaurant étant très rigides, il sera difficile de sortir du schéma où l'homme est responsable du vin. Attendez de voir s'il en propose ; si ce n'est pas le cas, vous pouvez lui suggérer d'en commander. Si le serveur ne remplit pas vos verres durant le repas, laissez votre invité masculin s'en occuper.

Sachez lire une carte des vins

Comprendre la carte des vins d'un restaurant peut être ardu lorsqu'on est novice. Et même lorsqu'on s'y connaît un peu, plus le choix est large, plus on risque d'avoir le vertige et de ne pas savoir quelle sera la meilleure option pour le plat choisi. On peut pourtant s'y retrouver lorsqu'on connaît quelques principes simples.

Tout d'abord, une carte des vins qui se respecte se doit de présenter plusieurs types de vins en les séparant clairement. Vous trouverez donc les rouges, les blancs, les rosés, le champagne et les spiritueux dans différentes catégories explicites.

Dans la plupart des cas, on indiquera le nom du domaine, la région d'origine et le millésime de la bouteille, autant d'indications à prendre en compte pour faire votre choix. C'est important pour réaliser un bel accord avec le plat que vous avez commandé, mais aussi pour avoir une idée de la qualité de la bouteille, car, d'une année à l'autre, elle peut être très variable.

Si le vin est d'une importance capitale pour vous, regardez cette carte avant même d'arrêter votre choix de plat, car il se pourrait que les crus les plus intéressants ne soient pas adaptés à ce que vous aurez dans votre assiette. Vous pourrez, en amont, confronter la carte des vins et le menu, et voir quels accords vous semblent ressortir.

En règle générale, la viande rouge appelle le rouge, et le poisson, le blanc. La cuisine du Sud-Est, les salades et les plats qui fleurent bon l'Italie vont fort bien avec le rosé. Mais on peut parfois avoir des surprises. N'hésitez pas à demander au sommelier ou au patron ce qu'il vous recommande.

Enfin, comme on vous fera goûter le vin avant de vous servir, soyez vigilant : s'il est aigre, amer ou bouchonné, demandez à changer de bouteille immédiatement.

Comment servir le vin

*L*orsqu'on reçoit des invités, on se doit de servir l'apéritif des premiers convives. Vous pouvez servir du champagne ou encore le premier vin qui sera dégusté à table, car certaines personnes préfèrent boire un seul type d'alcool avant et pendant le repas. Il est de coutume de ne pas laisser les femmes déboucher les bouteilles. C'est au maître de maison de s'en charger. Il ne faut jamais arracher la bande de métal enserrant le goulot, juste ce qui cache le bouchon. Évitez de faire du bruit en débouchant le vin comme le champagne.

Le nombre de verres dépend de la solennité du repas : pour un repas amical, deux suffisent ; pour une occasion plus solennelle, on peut aller jusqu'à cinq, c'est-à-dire un verre à eau, une flûte à champagne, un verre à bordeaux rouge, un verre à bourgogne rouge et un verre pour le blanc. Les verres sont placés au-dessus de l'assiette, légèrement décalés du côté droit. La flûte à champagne se placera toujours un peu en arrière des autres verres.

On utilise une carafe pour le vin à décanter, pour des vins jeunes ou pour d'autres qui ont beaucoup de tanins. Autrement, on le laisse dans sa bouteille, et les invités auront du plaisir à lire l'étiquette. Vous pouvez aussi remettre dans sa bouteille un vin que vous avez fait décanter.

Ne servez jamais vos invités en tenant la bouteille au-dessous ; seuls les serveurs le font afin de montrer au client l'étiquette. On ne remplit pas les verres à plus des deux tiers, pour permettre au bouquet de se développer à la surface. C'est au maître de maison de veiller à ce que

chacun ait du vin dans son verre. Au-delà de six convives, il peut demander à l'un de ses invités de s'occuper de servir ses voisins.

On ne remplit pas les verres à moitié pleins ; il faut attendre qu'ils soient presque vides. Si on sert un nouveau vin, on peut demander que chacun finisse son verre pour ne pas mélanger les crus. On n'insiste pas si quelqu'un refuse d'être resservi. D'un autre côté, il faut s'assurer qu'il y ait toujours de l'eau sur la table pour permettre aux invités de se désaltérer. Enfin, ne buvez pas complètement une bouteille de vin qui, supposée bonne, conserve un léger dépôt.

L'art de servir le champagne

Avant d'ouvrir votre bouteille, il faut l'amener à la température idéale. Et le mieux pour cela reste le traditionnel seau à champagne, qu'il convient de remplir à 30 à 50 % de glace et le reste d'eau. Votre bouteille sera à température en seulement 20 minutes et, si vous êtes pressé, vous pourrez toujours ajouter deux poignées de gros sel. Si vous souhai-

tez utiliser le réfrigérateur, n'oubliez pas de coucher la bouteille afin de bien répartir la fraîcheur, et comptez environ 2 heures 30 pour une bouteille. Le congélateur est évidemment à proscrire, la bouteille risquant d'exploser.

Si l'on parle de « coupe » de champagne, il ne faut pas confondre coupe et flûte. La première, arrondie et évasée, aura tendance à faire perdre de son effervescence au champagne. Il faut ainsi préférer la flûte, qui lui permettra de garder toute sa vivacité et tout son bouquet. Il n'est ensuite pas recommandé de faire sauter le bouchon, action qui fait perdre beaucoup d'effervescence au liquide.

Lorsqu'on sert du champagne, on ne doit pas attraper la bouteille par le col. On préférera saisir la bouteille par le fond, le pouce dans l'évasement et les autres doigts sur la base du fût. Si vous souhaitez vous servir d'une serviette, ce qui n'est pas nécessaire si la bouteille a été préalablement essuyée, évitez de cacher l'étiquette de la bouteille, qui est son signe de reconnaissance. Puis, versez le champagne près de la flûte, et n'hésitez pas à demander à votre hôte de l'incliner légèrement pour une plus belle effervescence. Remplissez en deux ou trois fois chacun des verres en ne dépassant pas les deux tiers de la flûte, afin que vos convives puissent en apprécier les arômes. Si vous comptez servir plusieurs champagnes au cours d'un repas ou d'une réception, n'oubliez pas de changer les verres entre chaque cru.

Enfin, s'il vous reste du champagne à la fin de la soirée, vous pouvez utiliser un bouchon stoppeur, en métal et en caoutchouc. La petite cuillère placée dans le col n'a aucun effet dans la conservation du gaz.

Ni trop chaud ni trop froid : les températures idéales

*S*elon le type de vin, la température de service idéale pourra varier grandement. En règle générale, les basses températures empêchent les arômes de s'exprimer, et les hautes températures rendent l'alcool trop présent. Au-delà de 20 °C, il commence en effet à étouffer les arômes, et le vin apparaîtra déséquilibré.

La température idéale va dépendre de plusieurs facteurs : la structure du vin, sa complexité, son équilibre, sans oublier la température ambiante. Plus un vin est structuré sur des tanins et/ou complexe, plus la température idéale de dégustation s'élèvera. Aussi, les vins âgés ou les grands crus supportent une température supérieure de 2 à 4 °C.

Température des vins blancs :

- 6 °C : vins de liqueur.
- 7-8 °C : champagnes simples et vins mousseux, muscats, vins liquoreux simples.
- 9-10 °C : Alsace vendanges tardives, vins moelleux, blancs secs légers ou acides.
- 11-12 °C : beaux champagnes, beaux vins liquoreux, grains nobles, vins blancs secs, vins blancs demi-secs : vouvray, pinot gris d'Alsace, gewurztraminer.
- 13-14 °C : meilleurs vins blancs secs, vins jaunes et autres vins de style oxydatif.
- 15-16 °C : vins âgés de style oxydatif.

Température des vins rosés :

- 7-8 °C : champagnes rosés simples et autres effervescents rosés.
- 9-10 °C : rosés légers, vins de soif.
- 11-12 °C : beaux champagnes rosés, vins rosés classiques.
- 13-14 °C : clarets de Bordeaux, vins rosés structurés, rosé des Riceys, bourgognes rosés.

Température des vins rouges :

- 11-12 °C : vins rouges légers et fruités.
- 13-14 °C : beaujolais et vins peu tanniques, banyuls et autres vins doux naturels.
- 15-16 °C : bourgognes, Rhône, Loire et vins rouges de structure moyenne.
- 17-18 °C : bordeaux et tous vins rouges dotés d'une bonne structure, portos.
- 19-20 °C : vins exceptionnels et évolués.

Trucs et astuces pour la température du vin

*L*e seau à glace est communément utilisé pour rafraîchir le vin ; sachez néanmoins qu'il provoque une descente en température un peu brutale. En revanche, il est parfait pour garder les bouteilles à la bonne température sur la table. L'été, il peut même être utilisé pour les rouges : ne mettez alors que très peu de glaçons.

Le manchon réfrigéré, à placer préalablement au congélateur, est particulièrement rapide et efficace pour faire baisser la température d'un vin. Il a les mêmes inconvénients que le seau à glace, mais reste très pratique. Quant aux rafraîchisseurs électriques, leur efficacité est limitée : ils ne parviennent que très mal à mettre une bouteille à la bonne température. Ils peuvent par contre être utilisés pour maintenir le vin à la température souhaitée.

Lorsque vous cherchez à obtenir une température précise, tenez toujours compte du fait que, dans le verre, elle peut monter de 2 °C en quelques minutes.

Évitez les variations trop brusques de température dans un sens ou dans l'autre. Par conséquent, il faut bannir les sources de chaleur trop puissantes. Ne placez jamais votre bouteille devant un radiateur ou une cheminée, car vous aurez immanquablement un vin trop chaud. Si vous avez oublié de sortir votre vin de la cave, un seau à glace avec de l'eau tiède sera toujours préférable au radiateur. Aussi, le transvasement du vin dans un autre récipient aide grandement à la montée de la température. L'autre récipient peut être préalablement tiédi avec de l'eau chaude.

Évitez également les sources de froid trop puissantes : mettre sa bouteille au congélateur n'est jamais une solution. Le froid extrême casse le vin, et vous risquez de le faire geler. Le seau à glace ou le manchon réfrigéré sera toujours préférable.

Vin et bonnes manières

*L*orsqu'on est invité, on croit souvent qu'on se doit d'apporter du vin, car on nous a répété « qu'il ne faut pas venir les mains vides ». Mais la bienséance voudrait au contraire que les convives n'arrivent pas avec une bouteille afin de ne pas offenser leurs hôtes. Ceux-ci se sont en effet donné du mal pour tout prévoir et choisir un vin adapté au repas qu'ils ont chambré afin que sa température soit parfaite. Votre bouteille, au contraire, arrivera secouée et trop chaude ou trop froide, et il n'y a que très peu de chances que vous ayez tapé dans le mille en termes d'accords mets-vins.

Si vous tenez réellement à offrir quelque chose, alors choisissez un champagne ou un vin qui pourra accompagner le dessert. D'ici la fin du repas, il aura en effet le temps de se reposer et de se rafraîchir. On fera évidemment une exception si vous êtes un professionnel du vin, comme un producteur ou un caviste. Dans ce cas-là, on présumera que vous connaissez votre affaire et que votre bouteille arrivera dans des conditions parfaites, prête à être débouchée. Mais en règle générale, oubliez le vin et faites livrer des fleurs à la maîtresse de maison le lendemain pour la remercier de son invitation.

De plus en plus, dans les repas entre amis à la bonne franquette, ces règles de politesse n'ont pas cours. Le vin étant un produit relativement cher, il est apprécié de participer à l'effort et d'en apporter. Par contre, il ne sera pas dégusté le soir même pour les raisons citées précédemment, mais une prochaine fois.

À table, ne vous servez pas vous-même ; attendez qu'on le fasse. Si votre verre est vide et que personne ne vous ressert, vous pouvez servir les personnes proches de vous pour vous servir ensuite. Lorsqu'on vous sert, vous pouvez légèrement soulever votre verre, mais ne le tendez pas.

Vin et gastronomie

Vin et gastronomie sont indissociables. En France, on considère que le vin fait partie intégrante de notre patrimoine gastronomique, au même titre que nos grands plats nationaux. En même temps, cela paraît logique, car, à y regarder de plus près, nombre de recettes françaises sont à base de vin, comme le bœuf bourguignon, le civet de lièvre ou les moules à la provençale.

Mais le vin ne vient pas seulement servir d'ingrédient. Il est, en lui-même, un produit de nos terroirs, élaboré par des travailleurs de la vigne, destiné aux plaisirs de la table.

Penser un bon repas sans y intégrer de vin est impossible. Il est un élément fondamental de la dégustation, qui va venir s'accorder avec les mets servis. Le choix du vin n'est donc jamais fait au hasard. Aucun restaurant digne de ce nom en France ne néglige de posséder une carte des vins. Les plus grands établissements se doivent même d'avoir un sommelier dont le vin est l'unique responsabilité.

Et puis, ne dit-on pas d'un grand vin qu'il est « gastronomique », justement, lorsqu'il atteint un certain niveau de qualité ? En disant cela, on considère que le produit est si noble qu'il se suffit à lui-même. Complet, riche, profond, il n'a pas besoin d'être accompagné d'un plat quelconque pour être, à lui seul, un grand moment de gastronomie.

Les bouteilles de prestige : ces vins qu'on s'arrache

Certains vins sont considérés comme des grands crus, et leur simple nom, évocateur d'un immense prestige, fait rêver les amateurs. Tout le monde a entendu parler du Mouton-Rothschild, du Château Latour ou du Dom Pérignon, par exemple, tant leur renommée est grande. Mais rares sont ceux qui ont pu y goûter. En effet, le prestige est souvent lié à un savoir-faire d'exception et une qualité hors du commun, certes, mais également une rareté qui caractérise le travail d'orfèvre. Ainsi, il est non seulement difficile de se procurer ces bouteilles, mais il faut en plus y mettre le prix, et très peu de gens en ont les moyens financiers. Les plus grands vins peuvent se vendre plusieurs milliers d'euros la bouteille. Même à ce prix, ils trouvent toujours preneur, car on estime que cette valeur est largement méritée. Certaines années sont considérées meilleures que d'autres, ou plus rares, et seront en conséquence d'autant plus chères.

Bref, ce qui fait une bouteille de prestige, c'est un nom, associé à une qualité proche de la perfection et une réputation sans tache, mais aussi une date. Certains crus sont classés, ce qui ajoute à leur renommée et leur importance dans le milieu des amateurs et professionnels.

Le classement de 1855 : les meilleurs bordeaux

À l'approche de l'exposition universelle de 1855, Napoléon III décide de faire établir une classification des vins de Bordeaux qui servira de référence officielle. Pas de dégustation à l'aveugle ni même de visite de vignobles, l'intervention de quelques experts donnant des résultats beaucoup trop subjectifs et aléatoires. Et puis il ne s'agit pas de juger les vins d'après de simples critères gustatifs. Surtout, il existe déjà un corpus de connaissances en la matière que l'empereur souhaite exploiter. Il fait donc appel aux courtiers de commerce de la ville de Bordeaux et leur demande par lettre « *de vouloir bien nous transmettre la liste bien exacte et bien complète de tous les crus rouges classés du département [...], également [...] la classification relative aux grands vins blancs* ». Ces courtiers de l'industrie vinicole connaissent en effet la cote des vins, c'est-à-dire leur prix et la réputation des châteaux.

Au-delà de cet aspect marchand, le classement doit refléter la qualité des vins de manière fiable et durable. Là encore, les courtiers connaissent leur affaire puisqu'ils utilisent eux-mêmes une classification informelle, perfectionnée pendant deux siècles, qui repose sur des critères de qualité.

Ils établissent donc un classement de 88 châteaux par importance, du premier au cinquième cru pour les rouges, au nombre de 61, et du premier au troisième pour les blancs, dont les 21 représentants ont été limités aux sauternes et barsacs. Le champion des rouges est Château Lafite-Rotschild, suivi de Château Latour et de Château Margaux. Du côté des blancs, arrive en tête le célèbre Château d'Yquem.

Napoléon souhaitait un classement pérenne, et c'est ce qu'il a obtenu : depuis sa date de création, le 18 avril 1855, seuls deux changements y ont été apportés : en septembre 1855, Château Cantemerle a été ajouté comme cinquième cru et, en 1973, Château Mouton-Rothschild est passé de second à premier cru.

Les millésimes : des années avec et des années sans

*L*e millésime est le nombre désignant l'année de récolte des raisins ayant servi à produire un vin. C'est un repère important pour estimer la qualité de la bouteille et, à ce titre, il est souvent indiqué sur l'étiquette, bien que cette mention soit facultative. On distingue cinq échelons : au sommet, l'année exceptionnelle, suivie de la grande année, la bonne année, l'année moyenne et enfin l'année médiocre.

Ce que le millésime exprime avant tout, ce sont les conditions climatiques de l'année qui sont un facteur déterminant de la qualité du vin obtenu. Chaque grande région vinicole offrant globalement le même climat, les grandes années sont généralement communes à tous les crus qui y sont produits, toutefois, chacun des domaines aura également d'autres facteurs qui viendront jouer en sa faveur ou défaveur (comme les maladies). Chaque maison va donc déterminer indépendamment ses propres millésimes d'exception.

À partir de l'ensemble de ces notations, on pourra déterminer les années exceptionnelles de la globalité du vignoble d'une région en prenant en compte le type de vin, par exemple les vins rouges de Bordeaux ou les vins blancs de Bourgogne. Il faut être vigilant, car, d'un bout à l'autre de la France et en fonction du cépage, les millésimes d'exception varient considérablement.

Pour les vins rouges de Bordeaux, par exemple, 1990, 2000, 2005 et 2009 sont communément acceptées comme des années exceptionnelles. 2002 est quant à elle jugée médiocre. Mais, pour les blancs de Bourgogne, 2002 est précisément une année d'exception. Quant à 1960, c'est l'un des meilleurs millésimes de la vallée du Rhône alors qu'il s'agit d'une année médiocre pour les blancs de Bourgogne.

De 1798 à 2005 : les récoltes de légende

Certaines années font rêver tous les amateurs de grands vins. Ces millésimes sont considérés par les professionnels et les passionnés comme des récoltes de légende, entrées dans les annales pour leur qualité exceptionnelle qui a permis l'élaboration de crus fabuleux prenant un peu plus de valeur chaque année, à mesure qu'ils se raréfient et se bonifient.

Pour les vins de Bordeaux, les récoltes de légende ont été notées par le cabinet de courtage Tastet et Lawton qui, chaque année, archivait les caractéristiques des vins produits en termes de quantité et de qualité. On dispose ainsi d'une formidable base de données remontant à la fin du dix-huitième siècle.

Parmi ces récoltes de légende, on peut citer 1798, *« année merveilleuse, citée pendant 20 ans, pleine de vins corsés, veloutés »*, puis 1811, *« vins des plus remarquables, dénommés Vins de la comète »*, 1815, 1828, 1834, 1841, 1847, 1864, et puis plus rien jusqu'en 1900, en grande partie à cause du mildiou.

Et 1900… Ah ! 1900, c'est le « millésime du siècle », magistral en tous points, car d'une abondance rare et d'une qualité exceptionnelle. Au début du vingtième siècle, peu de récoltes légendaires, hormis 1928 et 1929. En 1945, une superbe année tombe à pic pour fêter la victoire. Une gelée printanière a ruiné la moitié des raisins, mais les vins seront très concentrés et vieillissent admirablement.

La deuxième moitié du siècle est plus généreuse : 1959 et 1961 sont des années magiques, 1982 voit naître des « *vins magnifiques, durables jusqu'au milieu du siècle prochain* », 1989 est une « *très grande année de garde* », tout comme 1990. 2000 est qualifiée de grande année du siècle, à l'image du millésime 1900. 2005 est d'ores et déjà considérée comme une année historique, réussie sur tous les plans.

La Romanée Conti : le rescapé de Bourgogne

*E*n tête du classement des vins rouges de Bourgogne de 1855, ce grand cru d'exception est d'un superbe rubis sombre, carminé avec l'âge. Il est produit sur le climat de la Romanée Conti, en Côte d'Or, un vignoble ancestral dont les premières mentions écrites remontent à l'Antiquité. Composées uniquement de pinot noir, ses vignes produisent un nectar aux arômes de petits fruits rouges et noirs, de violette, d'épices et de sous-bois, considéré très tôt comme l'un des meilleurs vins de Bourgogne aux côtés d'autres crus provenant de côte de Nuits et côte de Beaune.

Pourtant, bien des fois le célèbre vignoble a failli disparaître. Attaquées par toutes sortes de maladies et parasites au dix-neuvième siècle, les vignes parvenaient toujours miraculeusement à s'en remettre et à rester productives. C'est d'ailleurs à cette époque que le romanée-conti fut déclaré meilleur vin rouge de Bourgogne par le classement officiel de 1855. Le mildiou changea la donne au vingtième siècle. Alors que le vignoble était au plus mal, rongé par ce nouveau fléau, l'appellation d'origine contrôlée lui fut attribuée en 1936.

Mais, en 1945, le mildiou eut raison de lui, et la totalité des vignes furent arrachées et replantées. Pour cette raison, il n'existe aucune cuvée de 1946 à 1951.

Malgré toutes ces épreuves, le domaine a su garder une production d'une extraordinaire qualité de 6000 bouteilles par an triées sur le volet que les marchands et collectionneurs s'arrachent dans le monde entier. Avec un prix moyen de plus de 6150 euros la bouteille, il est à ce jour le vin le plus cher du monde. Sa bouche puissante, complète, subtile, flamboyante s'accorde à la perfection avec du gibier à poil et à plume ou d'autres viandes au goût fort, comme le canard ou le veau rôti.

Le pétrus : le domaine
sans château

*I*ssu de la région viticole de Pomerol près de Bordeaux, le pétrus est considéré comme l'un des plus grands bordeaux rouges, bien qu'il n'ait jamais été classé et qu'il ne porte pas l'appellation « château », l'édifice faisant historiquement défaut au domaine. Malgré tout, sa renommée internationale est immense, notamment grâce à l'appui de la famille Kennedy qui a beaucoup contribué à le faire connaître.

Doté d'une magnifique robe très sombre caractéristique, il est dense, puissant mais tendre, car peu acide, et aussi charpenté que subtil. Mais, surtout, le pétrus concentre un nombre rare d'arômes. Cette grande palette de parfums en fait un vin extrêmement complexe et intéressant. Le domaine, relativement petit, ne produit que 54 000 bouteilles par an. L'encépagement est constitué de 95 % de merlot et de 5 % de cabernet franc, avec des vignes ayant une moyenne d'âge de plus de 35 ans, ce qui est considéré comme élevé. Les raisins sont vendangés à la main et vinifiés dans des cuves en ciment. Contrairement à d'autres vins qui sont élevés dans des fûts de chêne âgés, le pétrus s'élabore dans des fûts entièrement neufs durant 21 mois.

Le prix d'une bouteille varie de 600 euros pour les millésimes de qualité moyenne à plus de 3000 euros pour un grand millésime, voire 15 000 euros pour un millésime exceptionnel comme 1946 ou 1962. Pétrus est le sixième vin le plus cher du monde, après cinq crus de Bourgogne. C'est donc le bordeaux le plus cher avec un prix moyen, tous millésimes et pays confondus, de 1750 euros.

Château Haut-Brion :
à la pointe de la modernité

*L*e plus ancien des grands crus de Bordeaux est produit sur le domaine viticole le plus réputé des Graves, situé dans l'AOC Pessac-Léognan. À partir de 1525, Jean de Pontac élabora un nouveau type de vin rouge dénommé « New French Claret » par les consommateurs anglais qui, pour la première fois, se bonifiera en vieillissant et imposera le style des grands vins rouges actuels. Pontac se maria trois fois, eut 15 enfants et mourut à 101 ans. Sa nombreuse descendance a pris sa suite et fait prospérer l'exploitation jusqu'à la renommée qu'on lui connaît aujourd'hui.

La grande particularité de Château Haut-Brion, c'est sa régularité de production au plus haut niveau sur plusieurs siècles. Elle lui a valu de se distinguer dans bien des domaines. Tout d'abord, le vin en lui-même est exceptionnel, reconnaissable entre tous par des arômes empyreumatiques marqués de havane, cuir, grain de café torréfié, et des tanins lui conférant un caractère particulièrement soyeux. Sa longueur en bouche est rare. C'est le seul bordeaux à être classé deux fois : il est en effet également cru des Graves dans la classification de 1959. Chaque année, 10 à 12 000 caisses de ce vin d'exception sont produites depuis près de 500 ans.

Le domaine est aussi connu pour avoir constamment été à la pointe de l'innovation, servant de modèle dans de nombreux domaines, que ce soit la vigne, avec un important programme de sélection clonale, ou le chai avec l'introduction dès le début des années 1960 de cuves de vinification en acier inoxydable. La politique du château est en effet de réinvestir tous les profits dans la société, dans le but d'élaborer les meilleurs vins possible. D'où ces programmes de modernisation et de recherche qui ont montré la voie à la plupart des autres exploitations renommées.

Malgré tout cela, le Château Haut-Brion n'est pas le vin le plus cher du monde. Il vous en coûtera tout de même plusieurs centaines d'euros par bouteille. Quant aux grands millésimes, c'est une autre affaire : les prix s'envolent.

Le Château Mouton-Rothschild : le vin des artistes

*L*e domaine du Château Mouton-Rothschild s'étend sur 84 hectares à Pauillac, dans le Médoc. L'encépagement, typique de la région, est constitué de cabernet-sauvignon, de cabernet franc, de merlot et de petit verdot. Ce qui fait la particularité de la maison est sa vinification inhabituelle : le vin est laissé en cuve après la fin de la fermentation, donnant du

corps supplémentaire et demandant une plus longue maturation en bouteille pour arriver à pleine maturité.

Le résultat de ce savoir-faire est indubitablement grandiose. Riche, racé, complet, ce vin magnifique a une couleur profonde et est reconnaissable immédiatement à son nez boisé et ses notes de fruits mûrs. Il est reconnu à l'international comme l'un des meilleurs vins rouges du monde. Ses bouteilles font également toujours couler beaucoup d'encre, les étiquettes étant chaque année réalisées par un grand artiste différent : Georges Braque, Juan Miro, Marc Chagall, Vassily Kandinsky, Pablo Picasso, Andy Warhol, Francis Bacon...

Deuxième grand cru classé en 1855, le Château Mouton-Rothschild a été nommé premier grand cru en 1973 par le ministère de l'Agriculture. C'est le seul à avoir eu cet honneur. Sa devise a été révisée pour l'occasion, passant de « *Premier ne puis, second ne daigne, Mouton suis* » à « *Premier je suis, second je fus, Mouton ne change* ».

Fort de cette gratification officielle et de sa réputation sans tache, ce vin mythique peut atteindre des sommes affolantes. Le Mouton-Rothschild 1945 est devenu le 28 septembre 2006 le vin le plus cher du monde lors d'une vente aux enchères organisée par Christie's à Beverly Hills. Un lot de douze bouteilles de 1945 a atteint 228 500 euros, soit 19 042 euros pièce, et un lot de 6 magnums a trouvé preneur à 272 000 euros.

Le clos-de-Vougeot :
le vin des cisterciens

*L*e clos-de-vougeot, ou clos-vougeot, est un vin rouge d'appellation d'origine contrôlée produit sur le clos de Vougeot à Vougeot, en Côte-d'Or. Il est classé parmi les grands crus de la côte de Nuits, en Bourgogne. Il était certes considéré depuis des siècles comme l'un des meilleurs vins de France, mais sa réputation était telle que, lors de l'inventaire des 35 000 bouteilles de la cave de Louis Jean Marie de Bourbon, duc de Penthièvres, en 1793, il fut trouvé en majorité des vins du clos.

La superficie de 50 hectares, 96 ares et 54 centiares du vignoble, uniquement planté de pinot noir, en fait le plus vaste des grands crus de Bourgogne. La différence est grande entre les parcelles du haut de la pente, très réputées, celles du milieu et celles du bas, proches de la route. Si le clos-de-vougeot a ce goût singulier, plus terreux que fruité, sa morphologie variée donne des nuances entre les différentes parcelles du clos. Quoi qu'il en soit, il s'agira toujours d'un vin noble et racé, très corsé, au parfum de truffe et de violette.

Autrefois, le clos de Vougeot appartenait à l'abbaye de Cîteaux, chef de l'ordre des cisterciens. À la Révolution française, le clos fut morcelé, puis réunifié par un banquier. Aujourd'hui, on dénombre 80 exploitants sur des terres variées.

On peut par exemple citer, parmi les plus réputés, le domaine de la Vougeraie, le domaine du Château de la Tour, le domaine Bertagna, le domaine Leymarie-Ceci et le domaine Hudelot-Noellat. Les prix sont très variables suivant l'origine du vin. Pour les meilleures parcelles, comptez environ une centaine d'euros la bouteille.

Le Château Lafite : « premier des premiers »

*S*ans doute le vin rouge le plus célèbre du bordelais, le Château Lafite, aujourd'hui Château Lafite-Rothschild, fut classé le « premier des premiers » crus lors du classement de 1855. C'est l'un des trois sommets incontestés de Pauillac, avec Latour et Mouton-Rothschild.

Son domaine a la particularité de comprendre une parcelle située sur la commune de Saint-Estèphe, fait exceptionnel quand on sait combien le comité des AOC est exigeant. Mais on a bien voulu faire une exception pour un vin de légende qui fait l'unanimité depuis des siècles. Sur ces terres, les vignes qui donneront le grand vin ont en moyenne 40 ans. Il existe également des parcelles extrêmement âgées de plus de 80 ans, l'une, dite « La Gravière », datant même de 1886.

Élégant, exigeant, la personnalité véritablement aristo-cratique du Château Lafite s'affirme sur plusieurs décen-nies avant d'atteindre sa pleine maturité. Il développe alors son bouquet caractéristique de cèdre, d'amande et de violette, avec des notes minérales, dont la fameuse odeur de crayon noir dont parlent certains experts, soutenu par des tanins qui confèrent à l'ensemble un équilibre et une suavité exceptionnels. Bref, un immense Pauillac dans toute sa pureté, mêlant une structure dense et puissante à d'intenses parfums.

Les prix des vins de Château Lafite-Rothschild sont parmi les plus élevés du Bordelais. De plus, depuis 2009, ils ont connu une inflation importante liée notamment au développement du marché chinois. Ils s'échelonnent de 700 à 800 euros pour les millésimes moins recherchés comme 1958, 1968, 1992 ou 1997, jusqu'à plusieurs milliers, voire des dizaines de milliers d'euros pour les grands millésimes anciens pouvant remonter jusqu'à l'époque de la Révolution française.

Le Château Margaux : l'inoubliable

*L*e grand domaine de Château Margaux est situé dans le Médoc. Il produit l'un des rouges de Bordeaux les plus prestigieux. C'est en effet l'un des cinq premiers grands crus de la classification officielle de 1855. L'écrivain Ernest Hemingway en est tombé amoureux fou, au point de prénommer sa fille Margaux et non Margot. Le Château Margaux, dit simplement « Margaux », présente une robe profonde avec un liséré fin violine. Son parfum est envoûtant, avec des notes de cassis, de mûres sauvages, de cerises, de violettes et de fines épices. Dense, profond, élégant, il est résolument inoubliable.

Ce vin hors du commun est le fruit de quatre cépages différents : cabernet-sauvignon, merlot, petit verdot et cabernet franc, ce qui contribue à sa complexité et son caractère unique. Il est aujourd'hui produit à environ 130 000 bouteilles par an, et ses prix s'échelonnent d'environ 250 à 300 euros pour les millésimes les moins recherchés à plusieurs milliers d'euros pour les années exceptionnelles.

Mais il n'y a pas que du rouge à Château Margaux. La maison est aussi connue pour son Pavillon Blanc, vin de tradition séculaire vendu au dix-neuvième siècle comme « vin blanc de sauvignon » qui n'a jamais reçu l'appellation Margaux en raison de l'emplacement de la parcelle de sauvignon blanc du domaine, trop exposée aux risques de gelées de printemps. Il a toutefois été classé premier cru de Bordeaux blanc en 1855. Jeune, ce vin est fin, complexe, riche et étonnamment long en bouche. Mais c'est à partir de sept à huit ans qu'il révèle réellement toutes ses qualités.

Le Château d'Yquem :
le meilleur blanc du monde

*S*eul sauternes classé premier cru supérieur, le Château d'Yquem est considéré comme le meilleur vin liquoreux du monde. Sa renommée a été forgée dès le dix-huitième siècle grâce à des amateurs célèbres, tels l'ambassadeur américain Thomas Jefferson et le président Wilson qui en sont devenus fous dès la première gorgée.

Ce vin se caractérise par sa robe foncée, ambrée à fauve, et sa complexité due à une saveur moelleuse et sucrée compensée par une acidité relativement haute qui vient lui apporter un équilibre parfait. Ses notes fruitées varient du tout au tout d'un millésime à l'autre, mais il est toujours un chef-d'œuvre de subtilité auréolé d'une pointe de mystère.

Le Château d'Yquem présente une longévité exceptionnelle. Il faut laisser une à deux décennies en cave aux bouteilles des bonnes années pour qu'elles puissent développer toutes leurs qualités. Si elles sont traitées avec soin, elles pourront ainsi être conservées plus d'un siècle, ce temps de maturation supplémentaire venant apporter de la complexité au vin. Pour les plus grands millésimes, il se fait attendre 50, voire 100 ans.

À l'origine de ce blanc liquoreux, il y a deux cépages : le sémillon constitue 80 % du vignoble, sa peau épaisse résistant bien à la pourriture, et le sauvignon représente les 20 % restants. Malgré la taille importante du domaine, le rendement est très faible. Seules 90 à 95 000 bouteilles sont produites chaque année, car on vise ici l'extrême qualité. Si elle n'est pas jugée suffisante, le vin sera commercialisé sous l'étiquette « Y ». Les prix du Château d'Yquem sont extrêmement variables selon les années, de quelques centaines d'euros à 40 134 euros pour le millésime le plus recherché : 1847.

Le montrachet :
« le roi des vins blancs »

Considéré comme le plus grand vin blanc de Bourgogne, le montrachet est récolté sur le terroir de deux communes, Puligny-Montrachet et Chassagne-Montrachet, à partir de cépages constitués exclusivement de chardonnay. La surface totale du domaine ne dépassant pas les huit hectares, sa production est extrêmement limitée. Il est donc difficile de pouvoir déguster ce superbe vin sec, à la belle robe or pâle.

« Le roi des vins blancs », comme on l'appelle, fait partie des premiers grands crus blancs de la classification de 1855. Il est produit par plusieurs familles ; inutile, donc, de chercher un quelconque « Château Montrachet ». Vous trouverez plusieurs cuvées, comme celle de Louis Jadot, de Louis Latour, de Michel Picard ou encore du domaine Bouchard Pierre & fils. Toutes se vendent à des prix élevés. Comptez plusieurs centaines d'euros pour une bouteille.

Harmonieux, structuré, onctueux, profond, il a une longueur en bouche exceptionnelle et des arômes caractéristiques d'épices, de miel, de fruits secs, de fougère et de beurre. Il est recommandé de le déguster seul ou en compagnie de fruits de mer nobles tels que le caviar, le homard, la langouste, les gambas ou la lotte. Ses saveurs rondes et larges, bien que délicates, s'accommodent également très bien du foie gras ou de la volaille, comme la poule ou la poularde.

Le montrachet se sert entre 12 et 14 °C et se garde au minimum dix à quinze ans, voire plus de vingt ans pour les grandes années.

Le Château Chalon : une perle rare

*M*agnifique, rare et de plus en plus recherché, le Château Chalon est un vin jaune d'exception produit dans la commune du même nom dans le Jura. Nombreuses sont les descriptions énigmatiques qui font rêver les amateurs : on dit de lui qu'il a « le goût du mystère », qu'il est « le vin des rois et le roi des vins » ou encore « un miracle de la nature ».

Commercialisé uniquement dans des clavelins, de petites bouteilles ramassées de 62 centilitres, le Château Chalon multiplie les particularités, et sa rareté attise les convoitises. Sa robe est d'un très beau vieil or ambré et lumineux, son nez est riche et délicat, et, en bouche, sa texture onctueuse et ronde délivre des arômes boisés et torréfiés aux notes de cannelle, vanille, miel, caramel... C'est un vin gourmand et complexe qui se marie à la perfection avec les produits du terroir franc-comtois comme le comté, la poularde aux morilles ou les noix fraîches.

Il est particulièrement rare, car on le trouve uniquement sur le climat très particulier des environs de Château Chalon, et il provient d'un vignoble de 50 hectares composé uniquement de cépage savagnin. Depuis quelques années, un engouement nouveau pour ce très beau vin jusqu'ici assez confidentiel a fait grimper les prix : en 2012, une bouteille de 1870 a été attribuée pour 5500 euros lors d'une vente aux enchères. Cette popularité grandissante déplace les foules d'amateurs dans le Jura où, chaque hiver, on fête la percée du vin jaune, c'est-à-dire la percée des premiers tonneaux de l'année. En 2011, 60 000 personnes se pressaient dans le petit village d'Arbois pour assister à l'évènement. Bref, un vin mythique en devenir.

Le champagne Krug : le plus cher du monde

Créée en 1843 à Reims, la maison de champagne Krug produit des cuvées haut de gamme qui figurent parmi les plus réputées au monde. Elles ont la particularité d'être commercialisées seulement après avoir atteint leur maturité, située en moyenne autour d'une quinzaine d'années. Mais elles peuvent se faire attendre bien plus longtemps. Ainsi, le millésime de 1981 a été dégorgé et mis en vente 25 ans plus tard, en 2006, à moins de 2000 exemplaires sous l'appellation Krug Collection. C'est une véritable perle : il est riche, onctueux, irréprochable.

La maison Krug produit aujourd'hui une grande variété de champagnes, au total environ 500 000 bouteilles par an. Ce sont tous des vins d'exception, riches et raffinés, ronds et profonds, à la saveur de noisette. Parmi les gammes figurent un rosé appelé sobrement Krug Rosé, lancé récemment, tout en dentelle et extrêmement rare, un blanc de blancs Clos du Mesnil, provenant des cépages du petit vignoble de Mesnil-sur-Oger, demeuré en tous points pareil à ce qu'il était en 1698, ou encore un blanc de noirs Clos d'Ambonnay très exclusif, élaboré uniquement à partir de pinot noir.

La Grande Cuvée n'est pas millésimée, car elle est le fruit d'assemblages délicats. Elle est donc relativement abordable comparée au Krug Clos du Mesnil, très floral, une véritable merveille qui combine longueur, fraîcheur, finesse et précision, et Krug Collection, rond, charmeur, gastronomique. Ce sont les deux champagnes les plus chers du monde, dépassant la moyenne de 800 euros la bouteille, tous millésimes et pays confondus.

Le champagne Roederer Cristal : caprice de tsar

oici une histoire comme on les aime, qui tient de la légende, bien qu'elle soit tout à fait réelle. À son origine, il y a la maison Roederer qui produit l'un des meilleurs champagnes du monde depuis 1770. À la fin du dix-neuvième siècle, son principal client est le tsar Alexandre II de Russie qui importe 60 % de la production Roederer à lui seul.

En 1876, coup de théâtre : le tsar, réalisant soudainement qu'il boit un champagne « commun » que n'importe qui peut se procurer au même titre que lui, exige, furieux, que la maison Roederer le traite avec plus d'égards et qu'elle édite, spécialement pour lui, une cuvée spéciale. Il continuera à importer le champagne « banal » pour sa cour, mais souhaite disposer de bouteilles qui lui seront personnellement destinées. Aussitôt, Louis Roederer s'exécute : à partir des dix crus les plus réputés de son vignoble, il fait élaborer une nouvelle cuvée de prestige pour le tsar. Le résultat est classique, vineux, fin et fruité. Il sera versé dans une toute nouvelle bouteille en cristal, différente et spécialement conçue sans fond piqué pour éviter que l'on puisse y dissimuler une grenade.

Cette bouteille est blanche, symbole de la noblesse russe, mais ce n'est pas seulement par allégorie : d'un point de vue pratique, cela permettait de voir le contenu et de s'assurer qu'il n'y avait pas de poison visible à l'intérieur.

Le blason qui figure sur la capsule représente les armoiries de l'Empire russe : un aigle noir à double tête.

À l'effondrement de l'Empire, cette cuvée spéciale sera proposée au public. Toutefois, le cristal d'origine est remplacé par du verre blanc. Aujourd'hui, le champagne Roederer Cristal est l'un des plus chers au monde, pouvant être vendu jusqu'à 900 euros le magnum, 4000 euros le jéroboam et 20 000 euros pour le mathusalem.

Moët et Chandon : l'empire du champagne

*P*as étonnant que ce champagne soit le plus célèbre et le plus vendu : avec plus de 1000 hectares, Moët et Chandon est à la tête du plus grand vignoble de Champagne, et ce raisin ne suffit pas à assurer sa production colossale puisqu'il ne couvre que 25 % de ses besoins. Fondée en 1743 à Épernay, la maison, qui a connu son premier grand succès en approvisionnant Mme de Pompadour, a grandi au fil du temps et produit aujourd'hui 26 millions de bouteilles par an.

La cuvée mythique de Moët et Chandon est sans aucun doute le Dom Pérignon, baptisé ainsi en hommage au moine du même nom qui a inventé « la méthode champagne » et élaboré une nouvelle forme de vin qui correspond au champagne tel que nous le connaissons. Avant lui, tous les vins de Champagne étaient rouges. Moët et Chandon réserve l'appellation Dom Pérignon aux années millésimées. La première cuvée date de 1921, meilleure année de tous les temps pour les champagnes en général. Depuis cette date, seuls 38 millésimes ont été produits. Depuis 1959, le Dom Pérignon est également édité en rosé. Parmi les champagnes les plus chers du monde, il bat souvent des records lors de ventes aux enchères. Ainsi, une verticale de Dom Pérignon œnothèque rosé, une première mondiale issue de la réserve de la cave Dom Pérignon, contenant 30 bouteilles de Dom Pérignon œnothèque rosé et des magnums de 1966, 1978, 1982, 1985, 1988 et 1990 a été vendue plus de 138 600 euros par Sotheby's à Hong Kong en 2010, un record mondial pour un seul lot de champagne. La même année, un mathusalem de 1996 trouvait preneur dans un palace anglais pour la somme faramineuse de 35 000 livres sterling, soit plus de 44 000 euros.

L'art de choisir son vin : les bonnes questions

*P*our bien choisir son vin, il n'y a pas de secret, mais quelques règles de base à suivre. Elles vous permettront de ne pas être trop « à côté de la plaque » dans la plupart des circonstances. Le reste sera une question de goût et d'expérience, et donc une affaire très personnelle.

Tout d'abord, on ne choisit pas un vin tout seul, coupé de tout contexte de dégustation. À quelle occasion cette

bouteille sera-t-elle ouverte ? Une célébration, un pique-nique entre amis, un dîner d'affaires ? Avec quoi la boira-t-on ? Du fromage, du poisson, de la viande rouge ? À quel moment du repas ? Voilà tout autant de questions qui peuvent très nettement vous aiguiller si vous pouvez y répondre.

Bien entendu, vous n'êtes pas médium et vous ne pouvez pas deviner ce que l'on servira à l'avance si vous êtes invité, mais vous savez à quelle occasion on se réunit, et cela peut vous aider à faire des choix plus festifs ou plus classiques. Bien des gens croient qu'il est plus facile d'offrir une bouteille de rouge, mais en réalité la plupart des blancs, secs ou moelleux, sont nettement plus polyvalents. Vous prendrez donc moins de risques avec ce type de vin qu'avec n'importe quel rouge, aussi bon soit-il.

Pour les grandes occasions, rien ne vaut le champagne, bien sûr, mais attention : au-delà d'un certain nombre de convives, si vous êtes le seul à en avoir apporté, il sera impossible de servir tout le monde. Et croyez-le : on peut refuser du blanc ou du rouge, mais personne ne dit non à du champagne ! Il vaut donc mieux prévoir large ou oublier les jolies bulles et opter pour un vin frais qui se dégustera à l'apéritif.

Si vous n'avez aucune idée de la qualité des vins, par exemple au supermarché, vous pouvez vous fier à quelques signes : tout d'abord, une bonne bouteille a souvent un cul profond. Ensuite, ignorez les médailles et autres prix, car les concours ne veulent souvent pas dire grand-chose. Sur l'étiquette, fiez-vous plutôt au millésime et au nom du domaine. Enfin, si vous voulez véritablement un conseil personnalisé de qualité, allez voir un caviste ; il vous guidera avec précision.

Savoir lire une étiquette de vin : les bonnes informations

Toutes les mentions qui figurent sur la plupart des étiquettes ne sont pas obligatoires. Elles permettent néanmoins de comprendre à quel vin on va goûter et laissent entrevoir quelles en seront les principales caractéristiques. Mais, surtout, l'étiquette vous en apprend beaucoup sur la qualité de son contenu si vous savez comment la lire.

Sont obligatoires :

1. La zone de production du vin appellation d'origine contrôlée. Cette appellation doit être répétée s'il est fait mention d'un nom de cru, de marque ou de cépage.
2. Le nom de l'embouteilleur, ainsi que l'adresse de son principal siège. Cette mention signifie que le vin a été mis en bouteilles sous la responsabilité du viticulteur ou du négociant.
3. L'indication de la teneur en alcool.
4. Le lieu de mise en bouteilles. « Mis en bouteilles au château » signifie que le vin a été mis en bouteilles sous la responsabilité du viticulteur ou du négociant.
5. Volume du vin contenu dans la bouteille.

Sont facultatives :

6. La mention « grand vin » qui doit être suivie de l'AOC à laquelle le produit peut prétendre.

7. Représentation exacte ou stylisée du château, du domaine, de la marque ou du logo concerné. 8. Nom du château, du cru, du domaine ou de la marque.

9. Le millésime ou année de récolte.

10. Récompense décernée au millésime en question par un organisme officiel. L'année de cette récompense est toujours postérieure à celle du millésime. Un classement officiel peut aussi être mentionné (cru classé ou cru bourgeois).

11. Un numéro peut être donné à la bouteille.

12. Couleur et type du produit, par exemple « vin blanc sec ».

En fait, ce sont surtout les mentions facultatives qui vont vous aider. Les informations légales sont extrêmement succinctes et ne donnent pas d'indications sur la qualité du vin, ni même sur son type ou sa couleur. C'est dire !

Seules les informations géographiques et les AOC sont obligatoires, mais elles ne sont pas un gage de qualité. Au contraire, le classement, l'appellation « grand vin » ou le millésime sont des renseignements qui en disent long.

Savoir lire une étiquette de champagne : les sigles à retenir

*U*ne étiquette de champagne vous donnera de nombreuses informations sur le produit que vous trouverez dans la bouteille. Tout d'abord, la mention « champagne » doit être clairement visible. C'est la seule AOC française dispensée d'indiquer « *appellation d'origine contrôlée* » ; le mot « *champagne* » suffit. Ensuite, on peut y lire la marque du vin, le nom de l'élaborateur, ainsi que le millésime qui n'y figurera que si les raisins proviennent intégralement de la vendange de l'année indiquée.

Le millésime doit obligatoirement figurer aussi sur le bouchon. En son absence, vous trouverez sur l'étiquette la commune d'origine des raisins. Parfois, vous pourrez également lire la cotation qualitative des raisins : « grand cru » pour les 17 communes qui ont le droit à ce titre, ou « premier cru » pour les 41 autres. À partir de ces renseignements, vous pourrez déjà avoir une idée de la qualité du vin sans y avoir encore goûté.

D'autres informations importantes concernent le type de champagne auquel vous avez affaire : il s'agit du dosage en sucre (de zéro à doux) et du cépage. La mention « blanc de blancs » indique que le champagne a été élaboré uniquement à partir de chardonnay ; « blanc de noirs » désigne les champagnes issus de raisins noirs comme le pinot noir et le pinot meunier. On aura également le rosé ou rosé de saignée.

Enfin, le statut professionnel du producteur est obligatoire et se traduit par les caractères suivants :

- **NM** : négociant manipulant. Maisons de champagne qui élaborent et commercialisent leur vin. La majorité possède des vignobles, mais achète aussi le raisin de producteurs locaux.

- **RM** : récoltant manipulant. Regroupe l'ensemble des vignerons, c'est-à-dire à peu près 5000 et un tiers de la production, qui élaborent et commercialisent leurs propres cuvées à partir de leur seul raisin. Ce sont les seuls « petits producteurs ». Ils doivent uniquement vinifier le produit de leurs parcelles pour qu'ils aient droit à la dénomination « champagne de vigneron » dans la limite fixée annuellement par le CIVC.

- **CM** : coopérative de manipulation. Ce sont des vins élaborés et vendus par une union de producteurs regroupés en coopérative.

- **RC** : récoltant coopérateur. Le viticulteur confie ses raisins à sa coopérative pour qu'elle élabore le vin, puis récupère tout ou partie des bouteilles terminées pour les commercialiser.

- **SR** : société de récoltants. Assez rare, le plus souvent familiale, elle élabore et commercialise en commun.

- **ND** : négociant distributeur. C'est un négociant qui achète des bouteilles terminées à d'autres opérateurs et les commercialise sous sa propre marque.

- **MA** : marque d'acheteur. Un commercialisateur a demandé à un négociant d'apposer sa propre marque sur des bouteilles qu'il a achetées. Produit le plus souvent ordinaire.

Le vin dans les recettes

*L*oin de cantonner le vin à l'accompagnement du repas, la gastronomie française regorge de recettes à base de vin, transmises et élaborées depuis l'Antiquité. Qu'il s'agisse de rouge, de blanc, de vin cuit, de champagne ou autres, tous les vins ont leur place en cuisine. Bien que les crus diffèrent et ne présentent pas les mêmes notes et arômes, chacune de ces grandes familles possède des caractéristiques principales qui lui permettront de s'accorder plus ou moins bien avec certains aliments.

Ces recettes sont associées à un terroir qui en produit tous les ingrédients ainsi qu'une tradition culinaire typique. On peut par conséquent réaliser un tour de France de la cuisine au vin, du bœuf bourguignon aux moules marinières en passant par le coq au riesling ou encore la soupe de poisson à la sétoise. Aucune région n'est laissée pour compte ; toutes ont su trouver la meilleure manière d'utiliser les cuvées qu'elles produisent – ou parfois celles des autres – en les mariant aux produits locaux.

Il est intéressant de voir à quel point le vin est une boisson polyvalente. Les multiples usages que l'on peut en faire en cuisine le démontrent aisément. Des ragoûts aux sauces, des desserts aux soupes, il est tantôt cuit, tantôt utilisé cru, servant de base, de marinade, de touche finale. Selon la recette, il pourra être débarrassé de sa teneur en alcool ou non, et, par la magie des accords gustatifs et de la chimie de la cuisine, donner des arômes insoupçonnés à une viande, un poisson, un œuf, un fruit, un fromage.

Pas de bonne sauce sans vin

Que serait la cuisine française sans les sauces au vin ? Elles sont un pilier de notre identité gastronomique. Il est d'ailleurs édifiant de voir que le vin est un ingrédient tellement fondamental dans l'élaboration des sauces en général que rares sont celles qui n'en contiennent pas. Le vin étant cuit, il sera débarrassé de sa teneur en alcool, mais diffusera tous ses arômes. Il est donc conseillé de ne pas utiliser de mauvaises bouteilles en croyant que cela ne se remarquera pas. Meilleur est le vin, meilleure sera la sauce.

Les sauces typiques françaises contiennent aussi bien du rouge que du blanc. L'une des plus anciennes est la sauce chasseur, inventée en 1600, à l'origine pour accompagner le petit gibier. On l'utilise aujourd'hui pour napper les pâtes et toutes sortes de viandes blanches. Elle est composée d'échalotes hachées et réduites au vin blanc, de beurre, de champignons, de tomates et de persil.

La sauce bordelaise a un nom plus qu'explicite puisqu'on l'appelle aussi « sauce marchand de vin ». Elle est faite de vin rouge de la région, de moelle et de bouillon de bœuf, d'échalotes, de poivre et de thym. Plus à l'est, une recette quasi identique existe : la sauce bourguignonne, mais attention, avec du vin de Bourgogne cette fois !

Du côté du blanc, on a l'embarras du choix. Dans tout le sud-est de la France, on cuisine la sauce au vin muscat à l'aide d'échalotes, de fond de veau et de muscat de Corse, du Languedoc ou de Provence selon la région. Elle va très bien avec toutes les viandes blanches. En Loire-Atlantique, on marie deux produits locaux, le beurre demi-sel et

le vin blanc, pour réaliser le beurre blanc qui accompagne les asperges ou le poisson.

Sauce au porto, sauce madère, sauce lyonnaise etc., la liste est infinie. Et si l'on jette un œil chez nos voisins italiens, la délicieuse sauce bolognaise que nous avons adoptée est, elle aussi, à base de vin rouge...

Les poissons aiment aussi le vin rouge

*O*n a tendance à croire que les poissons doivent nécessairement être cuisinés au vin blanc, communément considéré comme se mariant le mieux avec les produits de la mer. C'est vrai dans une majorité de cas.

On peut par exemple citer l'un des plats les plus répandus de la cuisine française : le maquereau au vin blanc. Présente dans les rayons de tous les supermarchés sous forme de boîte de conserve, et largement diffusée à travers toutes les régions, cette recette vient en fait de la vallée de la Loire, où elle est originellement préparée avec du muscadet et le maquereau frais local. Les notes florales et fruitées de ce vin blanc sec se mariant particulièrement bien avec les fruits de mer, il revient dans de nombreux autres plats du genre.

Bien plus au sud se déguste la soupe de poisson à la sétoise, composée de poissons fraîchement pêchés en Méditerranée, de vin blanc sec local, par exemple un languedoc ou un picpoul de Pinet, d'herbes, d'épices, de légumes du Sud et d'huile d'olive. Sa proche voisine la bouillabaisse est assez similaire. En Normandie, on aura la marmite dieppoise, étrangement réalisée avec du vin d'Alsace ; en Bourgogne, on trouvera la panchouse, une recette de poissons de rivière cuisinés au blanc aligoté, son bouquet végétal, vif et frais faisant honneur aux perches, brochets et autres anguilles de la région.

Mais les blancs sont loin d'avoir le monopole du poisson. On peut citer à ce titre la matelote d'anguille, originaire d'Île-de-France, cuisinée au rouge, comme un irancy, un corbières ou un chinon, ou encore la lamproie à la bordelaise, somptueuse avec un bordeaux supérieur.

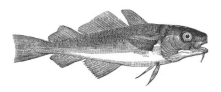

Les coquillages et crustacés

Comme les poissons, les coquillages ont une longue tradition de cuisine au vin blanc. L'exemple emblématique est sans aucun doute la recette des moules marinières qui nous vient de Belgique et que nous avons adoptée sans nous faire prier. Leurs proches cousines du sud de la France, les moules à la provençale, sont cuisinées avec le même ingrédient indispensable : le vin blanc sec dont l'alcool s'évaporera à la cuisson.

Dans un registre plus exceptionnel, on trouve les huîtres chaudes au champagne, une recette ancestrale qui avait été délaissée. Les adeptes de la nouvelle cuisine l'ont recréée au cours des années 1970. Elle figure aujourd'hui à la carte des plus grands restaurants gastronomiques. Elle marie à la perfection les arômes iodés des coquillages, la légèreté et la franchise du champagne brut, moins sucré que le sec ou le demi-sec, et l'onctuosité de la crème fraîche.

Ces délicieux coquillages ne sauraient faire d'ombre à d'autres créatures aquatiques qui aiment particulièrement le vin : les crustacés. Parmi eux, on se doit de citer le homard, qui se prête aisément à différents mariages heureux. Champagne, vin blanc sec, cognac, tout lui va à ravir. La recette la plus célèbre est sans aucun doute le fameux homard « à l'armoricaine » ou « à l'américaine », lié à l'aide de tomates, aromates et cognac ou vin blanc.

Dans le Sud-Ouest, on a jeté son dévolu sur des crustacés plus petits, vivant dans les cours d'eau douce : les écrevisses à la bordelaise sont cuites au vin blanc en Aquitaine, et les langoustines à la catalane mijoteront dans un vin blanc doux naturel de Banyuls. À l'origine, cette recette est réalisée avec des langoustes : c'est le fabuleux civet de langouste, ou llagostada, présent sur toutes les tables de la Côte Vermeille au 15 août.

La viande,
meilleure amie du vin

*D*ifficile de citer tous les plats de viande au vin, tant notre patrimoine gastronomique en est riche, héritage direct des traditions antique et médiévale. C'est en les regardant de plus près que l'on se rend compte à quel point la cuisine au vin est emblématique de la tradition française.

Parmi eux, on se doit de mettre en avant le mythique bœuf bourguignon. Ses deux ingrédients principaux sont la fierté du terroir de Bourgogne : le bœuf, en particulier le charolais, et le vin rouge, comme le côte-de-Beaune ou le côte-de-Nuits. Une cuisson lente à l'étouffée va marier les arômes puissants de la viande et du vin. C'est un accord parfait.

Tout aussi ancien et non moins connu, le civet de lièvre nous vient d'Occitanie. La recette remonte au Moyen-Âge, où le gibier était bien plus courant que de nos jours. On y cuit la viande en ragoût avec du vin rouge et des oignons pour un résultat très fort en bouche. Le rouge s'illustre également dans la daube à la niçoise, la fondue au vin rouge, la gardianne de Camargue, à la viande de taureau typique, ou encore les ortolans à la provençale. Pour finir, n'oublions pas l'inclassable mousse de foie de canard au porto, un grand favori, qui sera recouverte d'une fine gelée au vin rouge.

On a tendance à l'oublier, mais nombre de viandes se marient aussi parfaitement avec le vin blanc. La cuisine gasconne l'illustre très bien avec l'escaoudoun landais, une estouffade de porc au vin moelleux. On le retrouve aussi dans la daube avignonnaise, où, comparativement à ses cousines provençale et niçoise, le mouton a remplacé le bœuf, et le vin blanc a supplanté le rouge. Cette version contient des carottes, remplacées par des olives dans la version comtadine, généralement à base d'agneau.

Enfin, les abats font très bon ménage avec le blanc, comme le démontrent le tripoux d'Auvergne, le tablier de sapeur de Lyon, les pieds de porc à la Sainte-Menehould ou encore le foie de veau à la bordelaise.

Tous les vins s'accordent avec les volailles

*I*l est impossible de parler des volailles au vin sans faire mention du coq au vin, un classique dont les plus grandes régions viticoles revendiquent la paternité. Le coq sera mis à mijoter avec un verre à liqueur de marc, du vin rouge, des petits légumes et un bouquet garni. La recette franc-comtoise remplacera le rouge par un vin jaune.

Le poulet se taille la part du roi dans la cuisine au vin, car il s'associe aussi bien au rouge qu'au blanc. On peut noter par exemple le célèbre poulet marengo, qui aurait été créé par le cuisinier de Bonaparte juste après la bataille de Marengo en 1800. Échalotes, tomates, champignons, persil, beurre, bouillon et vin blanc entrent dans la recette pour un plat en sauce simple et délicieux. En Bourgogne, on cuit le poulet dans une sauce au vin blanc, au fromage, à la moutarde et à la crème : le résultat obtenu est appelé poulet Gaston Gérard.

La liste est encore longue. L'une des recettes typiques du sud-ouest de la France est le poulet sauce rouilleuse, composé d'oignons, de vin blanc, du sang de la volaille et d'un verre d'armagnac. Mais n'oublions pas le fameux poulet basquaise, qui mêle vin blanc sec, tomates et poivrons.

D'autres volailles se prêtent à des mariages plus festifs, comme la dinde ou le chapon, consommés lors des grands repas des fêtes de fin d'année. On les cuisinera volontiers au champagne, une excellente association qui à elle seule évoque les généreuses tablées de Noël.

Les desserts : du gâteau au vin à la zézette de Sète

Cuit ou cru, rouge, blanc, rosé ou champagne, le vin fait très bon ménage avec le sucre. Il est utilisé depuis l'Antiquité dans la confection de desserts. À cette époque, l'apothernum était, comme son nom l'indique, dégusté après le bain par les Romaines.

C'est une préparation à base de semoule et de vin cuit, qui est aujourd'hui tombée en désuétude.

Un autre plaisir sucré qui remonte au Moyen-Âge, toujours d'actualité : les poires cuites dans le vin rouge. Depuis, nombre de recettes à base de fruits macérés ou pochés dans le vin ont été créées, comme les pêches à la Capri, elles aussi au vin rouge.

Les associations les plus courantes sont les suivantes : fraise et champagne, fruits rouges et rosé, melon ou abricot et vin moelleux, cerise ou figue et vin doux naturel. Mais rien ne vous empêche d'être audacieux et de tenter de nouveaux mariages.

De nombreuses recettes de biscuits et gâteaux traditionnels contiennent également du vin, comme le gâteau au vin alsacien, qui existe sous deux formes : l'une est au vin rouge, au beurre, au cacao et à la cannelle, l'autre, au vin blanc, à l'huile et aux raisins secs. En Corse, on fait de délicieux petits biscuits croquants à base de vin blanc, farine et sucre appelés canistrelli. Dans le Languedoc, le biscuit sera sablé : c'est la zézette de Sète, au vin blanc de pays et à la vanille. Enfin, en Champagne, on trempe les biscuits de Reims dans du champagne ou du vin rouge pour les déguster.

Pour finir, on se doit de parler des glaces et entremets qui adorent le vin. L'un des desserts les plus anciens dans le registre est le sabayon au champagne, d'origine transalpine, qui aurait été introduit en France par les cuisiniers de Catherine de Médicis. Depuis, la palette des desserts s'est élargie, et le vin se retrouve dans les recettes de crèmes glacées, sorbets, granités ou parfaits.

Similarité et complémentarité : comment accompagner les plats

Comme le disait Henri IV : « *Bonne cuisine et bon vin, c'est le paradis sur terre.* » Mais encore faut-il trouver les bons accords, même si, cette époque, cela n'existait pas ! En effet, on servait tant de plats différents en même temps à la table du roi que la tâche était impossible. Quant à la table du pauvre, elle ne laissait aucun choix, qu'il s'agisse de la pitance ou de la boisson. De nos jours, le repas est plus concis, et tout le monde a accès à une grande variété de mets et de vins, ce qui rend les choses bien plus faciles.

Faciles en théorie. Car, en réalité, trouver les bons mariages est un art qui demande du temps et un bon palais. Il existe une telle richesse dans les patrimoines viticole et gastronomique français que la recherche et les dégustations pourraient ne jamais s'arrêter. Nos répertoires s'étant de plus enrichis d'apports exotiques, dans les assiettes comme dans les verres, le casse-tête est d'autant plus complexe.

Heureusement, vous serez rarement livré à vous-même. La table doit avant tout rester un lieu de plaisir ! Rassurez-vous donc : des professionnels seront là pour vous aider dans la plupart des cas. Au restaurant, le sommelier et, en boutique et parfois même au supermarché, le caviste pourront vous aiguiller de manière très précise.

Au cas où vous seriez perdu dans une situation où personne ne pourrait vous conseiller, pas de panique. Sachez que, de manière générale, il est souhaitable que les saveurs du vin et du mets correspondent quant à leur intensité, leur nature et leur texture. On peut chercher la similarité ou la complémentarité. Les accords gagnants exacerberont certaines qualités du vin, feront ressortir les arômes d'un aliment ou créeront une alchimie à part entière, s'éloignant du plat ou de la boisson isolés. Voyons donc cela plus en détail. Vous trouverez dans les chapitres suivants une série de suggestions pour les principaux types de vins.

Vins et fromages : osez le blanc !

*V*in et fromage, voici deux produits dont s'enorgueillissent les Français, à juste titre. Nous avons en effet à notre disposition les plus grandes et plus belles variétés du monde dans les deux registres. Nous les associons systématiquement : penser au fromage sans penser au vin est difficile à envisager.

Le premier réflexe du néophyte sera de sortir le rouge, presque machinalement, voyant cela comme une évidence, comme si c'était la clé. Mais ne nous y trompons pas : les tanins, l'acidité et les arômes du vin rouge font souvent de lui un meilleur compagnon du plat de résistance que du fromage.

Bien entendu, le plateau de fromages rustiques classique avec camembert, maroilles, brie ira parfaitement avec un bon rouge bien structuré. Mais dans bien des cas, contre toute attente, le vin blanc sera un meilleur allié, par exemple les grands vins de Bourgogne grâce à leur côté très gras, un peu lacté. Alors, osez vous éloigner de la tradition et tentez de nouveaux mariages. Vous serez agréablement surpris.

Mais quel vin choisir ? Un blanc sec, demi-sec, voire moelleux ou liquoreux peut être indiqué selon le cas. Il est généralement de bon ton de servir des fromages et vins qui s'accordent sur leur région d'origine, comme un vin jaune et du comté, un gewurztraminer et du munster, ou un côtes-de-Provence et du fromage de chèvre.

Plus le fromage est fort, plus le vin devra être corsé. Les fromages frais comme le saint-marcellin ou le saint-nectaire sont parfaits en compagnie d'un bourgogne blanc ; les chèvres pourront, selon qu'ils sont crémeux ou secs, s'associer à des blancs plus minéraux comme un sancerre blanc ou un pouilly fumé, ou plus rustiques comme un bon châteauneuf-du-pape blanc. Quant aux pâtes pressées cuites type beaufort, gruyère, comté, essayez-les avec un côtes-du-Rhône. Enfin, n'hésitez pas à marier les fromages bleus tels que le bleu d'Auvergne, la fourme d'Ambert ou le roquefort avec des blancs moelleux, voire liquoreux de type sauternes ou monbazillac, ou même un porto blanc. Quand on y pense, on les déguste en effet sans problème avec de la poire ou du miel, car le sucré leur va très bien. Il en va de même pour un bon laguiole, qui ira à merveille avec un muscat de Rivesaltes.

Vins tanniques : évitez le salé

Les tanins sont la marque des vins jeunes, mais aussi un trait distinctif recherché des chiantis et des bordeaux, notamment s'ils sont à base de merlot, comme les vins de Pomerol, du Médoc ou de Saint-Émilion, ou de cabernet-sauvignon, utilisé dans les mêmes régions ainsi qu'à Saint-Estèphe et Pessac-Léognan.

Les vins tanniques laissent une sensation caractéristique lorsqu'on les boit : l'astringence, c'est-à-dire qu'ils sont un peu âpres, secs en bouche et peuvent laisser la langue râpeuse. Cela peut être utilisé comme une qualité en les mariant à certains aliments.

Ils ont pour particularités d'affaiblir la perception de douceur du plat, de paraître plus doux et moins tanniques s'ils sont servis avec des aliments riches en protéines, comme la viande de bœuf ou certains fromages, et de paraître davantage astringents avec des plats épicés.

Il est donc conseillé de les marier avec des viandes rouges, particulièrement si elles sont relevées ou cuites au barbecue, l'idéal étant une viande saignante. Un grand nombre de fromages à pâte molle et croûte fleurie ou lavée iront aussi très bien avec eux, notamment s'ils sont encore jeunes ou peu mûrs : camembert, brie, chaource, pont-l'évêque, livarot, vacherin ou munster sont particulièrement indiqués.

Parmi les erreurs à ne pas commettre, évitez de consommer des plats très salés avec un vin fortement tannique. Le sel fait ressortir les tanins, et la sensation d'assèchement sera désagréable. Et aucun verre d'eau glacée n'y changera rien, car elle est elle-même astringente. Buvez par conséquent une boisson à température ambiante pour apaiser votre palais.

De même, il est déconseillé de boire ces vins pour accompagner certains fruits comme les myrtilles, les pommes, l'ananas, les kakis, la grenade ou le citron, mais encore les noisettes, les lentilles et certains haricots...

Vins sucrés : sucré salé ou ... sucré sucré

Les vins moelleux ou liquoreux ont une saveur si sucrée qu'ils ne s'accordent pas avec tout. Ils ont également généralement des saveurs très prononcées et ne sauraient accompagner un plat trop délicat qu'ils étoufferaient littéralement. Pour réussir cet accord, il est important de trouver des aliments dont le goût est suffisamment fort.

L'autre clé du succès est d'opter pour un mariage très sucré, très salé. En effet, ces vins paraîtront moins doux en compagnie d'aliments salés, et ils les rendront plus appréciables par la même occasion. L'exemple typique est celui du fromage. Les bleus au fort caractère comme le roquefort, le bleu d'Auvergne ou la fourme d'Ambert iront parfaitement avec les blancs doux du Sud-Ouest comme ceux du Sauternais, Gaillacois ou de Jurançon.

Une autre tendance, autrefois très à la mode, mais qui a quelque peu été abandonnée, est d'associer les blancs doux comme les sauternes aux fruits de mer. L'accord peut aujourd'hui être considéré comme audacieux, mais fonctionne sans problème.

Enfin, pour ne commettre aucune fausse note, la valeur sûre est d'allier sucré et... sucré. Les vins doux font particulièrement bon ménage avec les fruits. En entrée, un pineau des Charentes ou un porto sont parfaits avec du melon. Au dessert, optez pour un muscat du cap Corse ou encore un muscat de Beaumes-de-Venise avec une salade de fruits frais. Des vins effervescents tels que la blanquette de Limoux peuvent également convenir. Avec une tarte aux fruits rouges, accordez les couleurs et choisissez plutôt un rouge sucré comme un maury ou un banyuls ; ils se feront magnifiquement écho d'un point de vue aromatique.

Ces vins font également très bon ménage avec les desserts au chocolat. S'il s'agit d'une tarte aux fruits jaunes ou blancs, mieux vaut pencher pour des blancs moelleux du Val de Loire, des vendanges tardives alsaciennes ou encore du Sud-Ouest comme un bergerac moelleux ou encore un baussignac.

Vins acides : les meilleurs alliés des poissons

*L*es vins acides sont parmi les plus polyvalents en gastronomie. Ils ont plusieurs particularités intéressantes à table, notamment celle de corriger la lourdeur des plats gras. Servis en leur compagnie, ces mets sembleront plus légers.

En effet, plus on perçoit l'acidité d'un vin, plus il sera rafraîchissant. Et c'est exactement le petit coup de fouet qu'il faut pour compenser un plat très riche. Prenons l'exemple classique de la charcuterie : elle ira bien avec un beaujolais ou un pinot noir léger de Bourgogne, un chianti classico ou un barbera fruité. Le pinot noir et le beaujolais sont également tout indiqués avec un rôti de porc au bon jus parfumé.

Toutefois, s'il n'y avait qu'un seul accord à retenir pour les vins acides, ce seraient les poissons et fruits de mer, à plus forte raison si leur texture est grasse comme les huîtres, le saumon poêlé ou fumé (voire cru si l'on est amateur de sushi), le cabillaud ainsi que tous les poissons à chair onctueuse. De la même manière qu'on les arrose de quelques gouttes de jus de citron avant de les déguster, ces aliments gagneront à être mangés avec un vin blanc frais et même vif selon le cas.

Avec des coquillages, par exemple, dont les arômes sont délicats, optez pour un vin frais et peu aromatique comme un muscadet ou un picpoul de Pinet. Le saumon poêlé fera bon ménage avec un goût plus marqué comme un riesling sec, un vouvray sec ou un savagnin sec. Plus de fraîcheur encore sera nécessaire pour le saumon fumé, plus gras : il faudra un vin vif comme un chablis, un riesling grand cru ou un sauvignon blanc de la Loire (sancerre ou menetou-salon, par exemple).

L'autre grande particularité des vins acides est de sembler plus doux avec des plats légèrement sucrés. Toutefois, attention à ne pas garder systématiquement les vins acides, dont le champagne, pour le dessert. Au contraire, leur légèreté et leur fraîcheur sont requises en début de repas, voire en apéritif. Ils ouvrent l'appétit, et leur goût parfois subtil sera mieux apprécié ainsi.

Vins corsés : viande fromage et chocolat

*L*es vins corsés se caractérisent principalement par leur taux d'alcool élevé. Comme un parfum capiteux, ils prennent toute la place. Leur principale caractéristique gustative est d'écraser les mets aux arômes délicats. Mieux vaut donc les marier avec des plats bien relevés, voire, dans certains cas, épicés.

Ils proviennent principalement de cépages rustiques gorgés de soleil, notamment les côtes-du-Rhône dans le sud de la France, le porto ou le xérès dans le sud de l'Europe, le sidi-brahim en Afrique du Nord ou la plupart des vins de Californie.

Ces vins-là, il leur faut un partenaire gustatif de taille. Leur meilleure amie, c'est la viande, rouge bien sûr, ou le gibier. Plus les arômes de la viande seront puissants, plus le vin devra être corsé. Pour le bœuf, retenez les coteaux-du-Languedoc, les costières-de-Nîmes, les côtes-du-Ventoux, les vins de pays d'Oc, mais certains bordeaux ou bourgognes s'y prêteront aussi.

Du côté du gibier, tout dépend de la viande servie. Un gigot de chevreuil sera heureux avec un madiran ou un bandol, le sanglier ira parfaitement avec un chambertin ou un hermitage rouge, et un civet de lièvre se mariera avec un bordeaux côtes-de-Castillon ou un fronsac.

Pour ce qui est des fromages, nous avons vu qu'ils vont globalement mieux avec le blanc que le rouge, mais il y a quelques exceptions. Des pâtes molles à croûte fleurie jeunes comme le camembert ou le brie fonctionneront bien en compagnie d'un bordeaux ou d'un bourgogne tannique et puissant. Mais, s'ils sont très faits, ce sera une autre histoire.

Enfin, les vins corsés sont les seuls à pouvoir tenir le choc face à un dessert à base de chocolat un peu amer. Un vin doux sans caractère serait en effet une grossière erreur. Un madiran est une bonne option, mais l'idéal serait un banyuls ou un porto. Quoi qu'il arrive, afin de ne pas anesthésier vos papilles, il est préférable d'aller crescendo dans la puissance des vins au cours du repas. Réservez les vins corsés pour la fin, ou dès le plat de résistance s'il s'y prête, mais il sera difficile de revenir à un vin plus doux ensuite.

Harmonie des arômes, intensité des saveurs

L'harmonie des arômes, comme l'art des harmonies musicales, se construit soit par opposition, en associant une note aiguë et une note grave, soit par similarité, en jouant dans le même registre. En matière de vin et de gastronomie, le principe est exactement le même. On va jouer avec des arômes complémentaires ou semblables, créant un accord. Il est par contre impératif de rester dans la même gamme quoi qu'il arrive : l'intensité des saveurs doit être égale, sans quoi le mets couvrira le vin ou inversement. Il est préférable que cette intensité aille crescendo tout au long du repas.

Ainsi, certains fromages très salés feront bon ménage avec des vins blancs suaves et fruités, par opposition, ou d'autres fromages aux arômes puissants s'accorderont merveilleusement avec des vins rouges corsés, par similarité.

Renseignez-vous donc sur les particularités des cépages. On l'a vu : chaque vin possède toute une gamme d'arômes et de notes. Les principaux sont les suivants : arômes fruités, comme les fruits verts, rouges et autres, ou même les fruits secs ; boisés, comme le cèdre, la vanille, le café ou le fumé ; floraux, comme la rose, la violette, le tilleul, voire le miel ; épicés, comme la muscade ou la réglisse ; végétaux, comme les légumes, le foin, l'herbe coupée, l'humus ; minéraux, comme la pierre à fusil ou le cuivre ; chimiques, comme le goudron ou le pétrole ; animaux, comme le sang ou le gibier.

Par exemple, la signature aromatique d'un sauvignon blanc sera le bourgeon de cassis, le buis, le citron vert, le silex. Pour un riesling, ce sera le jus de citron, la pomme verte, et des notes minérales. Des vins de ce type seront donc tout indiqués avec des fruits frais, ou, par opposition, avec des huîtres ou des sardines grillées. Dans le premier cas, le vin viendra soutenir un arôme déjà présent et lui-même sera sublimé et conforté dans le sens de cet arôme. Dans le second cas, une alchimie plus complexe aura lieu, celle d'un accord plus travaillé, plus audacieux, mais résolument délicieux.

Accords de texture : les opposés s'attirent

Il est primordial de prêter attention aux saveurs, aux arômes et à leur intensité pour que les vins et les mets forment des accords harmonieux, mais ce ne sont pas les seules composantes à prendre en compte. En effet, les textures de l'élément liquide et de l'élément solide vont elles aussi entrer en dialogue.

De la même manière qu'il y a des aliments gras, croquants, fondants, il y aura des vins souples, veloutés, moelleux, fluides, onctueux, frais, secs. Parfois, on va rechercher la similarité, mais ce ne sera pas toujours ainsi. Dans la grande majorité des cas, même, on va plutôt tenter de produire de beaux mariages complémentaires, car forcer la sécheresse ou le gras n'est jamais bon.

Prenons l'exemple du saumon à l'unilatérale : cuit ainsi, il reste moelleux, gras, juteux. Il ne faut pas chercher à répéter cette texture. Le résultat serait lourd et ne mettrait en valeur ni le poisson ni le vin. Au contraire, il va falloir opter pour un vin frais en acidité (comme un riesling sec, un vouvray sec, un savagnin ou un gringet de Savoie), qui va venir contrebalancer cette texture et apporter de la légèreté.

Avec une texture plus sèche, comme c'est le cas de la viande de porc grillée, il sera préférable d'associer un vin frais et souple, comme un beaujolais, un fleuric, un cabernet franc de la Loire, un barbera d'Asti ou un nero d'Avola fruité.

Un assortiment de crudités ou de fruits frais fonctionnera enfin par complémentarité : l'association se fera sur le croquant et la vivacité. Un blanc frais et sec trouvera toute sa place.

Champagne et parmesan, chocolat et porto : les meilleurs accords

*L*es meilleurs accords ne sont pas toujours là où on les attend. S'il est vrai, en règle générale par exemple, que les mets et vins d'un même terroir font les plus heureux des ménages, il faut parfois beaucoup d'audace pour imaginer des combinaisons bien surprenantes, mais qui fonctionnent à merveille. Parmi elles, on se doit de citer le plus bel accord vin-fromage : c'est contre toute attente le champagne et le parmesan qui ont la palme. Le vin du Nord-Est et le fromage italien ont en effet une superbe complémentarité de saveur et de texture pour un résultat d'une finesse éblouissante.

On sera moins surpris en voyant que la tradition a raison de marier foie gras et sauternes, car c'est là le meilleur moyen de faire éclore tout le moelleux de chacun d'eux.

Pour ce qui est de la viande rouge, l'accord parfait est une belle pièce de bœuf grillée accompagnée d'un bordeaux rouge, mais pas n'importe lequel. En vieillissant, les saint-émilions et les pomerols évoluent parfois vers des notes de sous-bois, et ce sont eux qui résonneront le mieux avec le goût fumé et légèrement calciné de la viande grillée.

Si on se tourne vers la mer, retenez cette formule simple : bourgogne blanc et poisson, bordeaux sec et crustacés. Vous ne pourrez pas vous tromper.

Les asperges, réputées impossibles à combiner au vin à cause de leur amertume, forment un très beau couple avec un nectar rare et délicat, le condrieu, dont la fraîcheur sensuelle et les arômes de pêche, d'abricot et de violette viennent adoucir les légumes.

Du côté du sucré, le mariage sublime par excellence sera un chocolat noir et puissant avec un porto. Ils se feront un écho profond, complexe, envoûtant. C'est de loin la plus belle façon de conclure un repas gastronomique.

Choisir selon la région : le goût des terroirs

Selon la région où l'on se trouve, on n'aura pas accès à la même cuisine ni aux mêmes vins. De nombreux crus sont disponibles un peu partout, mais de petites productions locales, comme certains excellents vins de pays, sont boudées à l'échelle nationale à tort. C'est l'occasion de les découvrir, d'autant plus qu'ils sont, bien souvent, ceux qui accompagneront le mieux la cuisine du terroir.

En Bourgogne ou dans le Bordelais, on a l'embarras du choix tant les appellations fameuses sont nombreuses, mais là non plus ce n'est pas une raison pour laisser de côté des domaines moins prestigieux. On y trouve des perles, tant du côté du rouge que du blanc, qui ne viennent pourtant pas de grands châteaux. Il faut donc discuter, tester, ne pas hésiter à découvrir de beaux secrets régionaux.

Et puis, dans chaque région, vous trouverez des incontournables qu'il serait dommage de ne pas essayer. En

Alsace-Lorraine, ce sera par exemple le gewurztraminer, le muscat d'Alsace, le tokay pinot gris et le riesling ; dans le Sud-Est, ce sera le bandol, le bellet, le côtes-de-Provence ou encore le côtes-du-Lubéron ; dans le Jura, on ne peut pas ne pas goûter au fabuleux Château Chalon, à l'arbois ou aux vins de paille.

Bien souvent, ces spécialités viticoles régionales seront celles qui se marieront le plus judicieusement à la cuisine du pays : rien ne vaut le bœuf charolais avec un rouge de Bourgogne, la bouillabaisse avec un côtes-de-Provence rosé ou du foie gras avec un verre de sauternes. Profitez donc de chaque terroir en goûtant ses grands crus comme ses vins moins connus accompagnés des plats locaux. Vous verrez alors combien la France est vaste et combien notre patrimoine gastronomique est riche et varié.

L'art de constituer sa cave

O n ne fait pas sa cave sans un minimum de réflexion, de temps et d'argent. Pour cela, il faut évidemment disposer d'un certain nombre de bouteilles, d'un emplacement dédié, ainsi que d'accessoires servant au stockage et à la dégustation de vos vins.

Votre cave doit être adaptée à votre budget, vos besoins et vos usages. Il va en conséquence falloir choisir un mode de stockage, selon votre type d'habitation et l'espace dont vous disposez. Les différentes possibilités qui s'offrent à vous en termes de rangement seront développées dans le chapitre suivant.

Regardons de plus près le contenu de votre cave, à savoir vos bouteilles. Comment comptez-vous constituer ce « patrimoine » ? Le but premier lorsqu'on a une cave est d'avoir une certaine diversité à sa disposition chez soi, qu'il s'agisse de qualités ou de types de vin. Il est en effet pratique d'avoir sous la main des bouteilles de blanc comme de rouge, de rosé comme de champagne, qui serviront tour à tour selon le repas servi, mais il est également opportun d'avoir en réserve des grands vins qui seront débouchés lors d'occasions exceptionnelles (car c'est là l'un des grands plaisirs de tout caviste amateur) et aussi de bonnes petites bouteilles, sans doute moins grandioses mais parfaites pour être partagées entre amis sans autre raison particulière que le plaisir d'être ensemble.

Prenez le temps de parcourir les boutiques des cavistes, d'aller rencontrer des producteurs sur leur lieu de travail ou lors de foires aux vins, et même d'arpenter les rayons des supermarchés. Goûtez une bouteille pour commencer et, si vous l'aimez, achetez-en quelques autres que vous pourrez stocker. Lorsque vous commencerez à être à l'aise avec le choix des vins, vous pourrez vous lancer dans le choix de bouteilles de garde qui demanderont du temps avant de pouvoir être dégustées. Apprenez à être patient ! C'est ainsi que vous pourrez avoir la grande satisfaction d'être récompensé par un vin qui confirmera ou surpassera vos attentes.

Aménager sa cave : casiers ou frigos ?

Les casiers sont d'une importance capitale, car c'est là que vous allez stocker vos bouteilles précieuses et laisser vos vins de garde s'épanouir. Ils doivent être solides, adaptés à vos besoins, bien placés... Voyons cela en détail.

Sachez pour commencer qu'il existe plusieurs types de caves et donc de casiers selon l'espace dont vous disposez et vos usages. La cave à vins traditionnelle est enterrée, car c'est le meilleur moyen d'obtenir deux éléments essentiels à la conservation : l'obscurité et la température fraîche et constante. De plus, cela permet d'avoir une grande capacité de stockage. Dans ce type de cave, les casiers ne sont pas intégrés et c'est à vous de réaliser l'aménagement : préférez-vous coucher vos bouteilles ou les tenir à la verticale, par exemple ? C'est important si vous avez des crus anciens dans lesquels se formera un dépôt ou si vous avez plutôt des vins jeunes. Votre cave est-elle voûtée, récente ? Est-elle trop humide, présente-t-elle un problème d'odeur ? Tout cela est à prendre en compte si vous souhaitez optimiser l'espace et soigner votre vin.

De plus en plus, les citadins et tous ceux qui n'ont pas de cave enterrée à leur disposition optent pour la cave réfrigérée, dont la taille peut varier de celle du petit frigo à l'infini, si on en a les moyens. Ce type de cave électrique a l'avantage de tout intégrer. Une fois le modèle choisi, qu'il soit plutôt fait pour le vieillissement du vin, la conservation ou qu'il soit polyvalent, il n'y aura plus qu'à la mettre en route sans se soucier de rien. La température sera stable, l'obscurité, parfaite. Seul hic de la plupart des modèles : les vibrations. Renseignez-vous bien avant tout achat et n'oubliez pas, avant de casser votre tirelire, qu'il va falloir ensuite remplir votre cave !

De la mignonnette au melchisédech : les bouteilles

*L*es formats des bouteilles ont beau être standardisés, il en existe une multitude. La bouteille classique de 75 centilitres elle-même présente de nombreuses variantes. Vous aurez remarqué que, selon qu'elles contiennent du champagne, du blanc ou du rouge, elles ne seront pas identiques, mais cela va plus loin, car chaque région aura son type de bouteille : la flûte alsacienne est fine et élancée, la flûte à corset de Provence et de Corse est resserrée à la base, la bordelaise a des épaules prononcées, et la bourguignonne, au contraire, présente un goulot qui se fond dans le prolongement de la bouteille.

Ces différentes formes ne devraient pas poser de problème de rangement dans votre cave, car les casiers

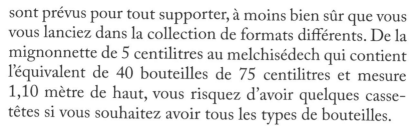

sont prévus pour tout supporter, à moins bien sûr que vous vous lanciez dans la collection de formats différents. De la mignonnette de 5 centilitres au melchisédech qui contient l'équivalent de 40 bouteilles de 75 centilitres et mesure 1,10 mètre de haut, vous risquez d'avoir quelques casse-têtes si vous souhaitez avoir tous les types de bouteilles.

Les plus grandes sont rarissimes. Seules quelques maisons proposent les colossaux salomon et primat, qui valent respectivement 24 et 36 bouteilles. Les autres formats, bien qu'ils ne soient pas produits à échelle de masse – à part le magnum – se trouvent plus facilement. Parmi eux, on aura le jéroboam (4 bouteilles), le mathusalem (8 bouteilles), le salmanazar (12 bouteilles), le balthazar (16 bouteilles) et le nabuchodonosor (20 bouteilles). Destinés à des occasions exceptionnelles, ces formats atypiques et festifs nécessitent d'avoir non seulement le nombre de convives nécessaires pour les boire, mais également le savoir-faire pour les ouvrir et les servir sans accident.

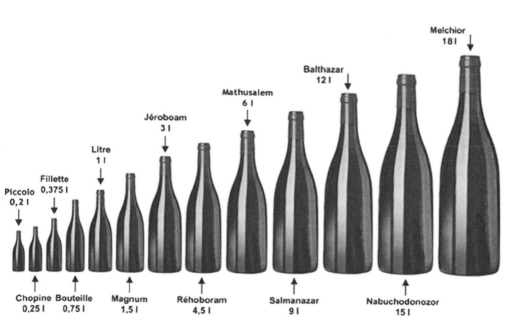

Acheter son vin
avec un petit budget

Pour remplir votre cave sans vous ruiner, plusieurs solutions s'offrent à vous. Tout d'abord, sachez qu'une bonne bouteille n'est pas nécessairement hors de prix. Ce n'est pas parce qu'un domaine n'a pas une renommée internationale et un nom prestigieux qu'il ne produit pas un très bon vin. Par contre, son prix sera toujours nettement plus abordable. On peut s'en sortir pour environ 10 euros par bouteille, parfois moins.

Pour dénicher des perles, le Web regorge de sites spécialisés, mais ce n'est pas à conseiller aux novices ou à ceux qui aiment goûter avant d'acheter. Lorsqu'on achète par correspondance, on s'expose à des déconvenues, à moins de savoir très exactement ce que l'on cherche.

L'idéal est donc, bien sûr dans la mesure du possible, de se déplacer en régions et de rencontrer des producteurs au marché ou sur leur exploitation. C'est le meilleur moyen de goûter, discuter et faire des affaires. C'est aussi de cette façon que l'on tisse des liens sur le long terme avec un vigneron qui aime partager sa passion et qu'on entre véritablement dans l'univers viticole. Enfin, c'est également ainsi que l'on devient un client privilégié.

Si vous n'avez pas la possibilité de vous déplacer, vous manquez une grande partie de ce qu'est le plaisir de la collection du vin. Vous pouvez toujours vous rabattre sur les producteurs de votre région uniquement, qui présenteront un éventail plus ou moins large de vins.

Le supermarché, qui propose des vins standard de qualité moyenne, peut vous suffire si vous ne cherchez ni les surprises ni les découvertes, bref, si vous n'êtes pas curieux. Certes, les prix peuvent être abordables, mais ce genre de point de vente n'est clairement pas le royaume de l'audace ou de la rareté. Quant aux foires aux vins, elles sont souvent décevantes. N'y placez donc pas trop d'espoirs.

Acheter son vin avec un budget moyen

*S*i vous avez un budget moins serré et que vous pouvez payer une bouteille 30 euros sans sourciller, vous élargissez considérablement le champ des possibles. Mais attention : un vin plus cher n'est pas forcément meilleur. Même dans cette gamme de prix, on trouve des bouteilles tout à fait médiocres.

Votre meilleur allié sera votre caviste. C'est lui qui pourra vous conseiller, prendre le temps de vous faire découvrir et goûter des crus venus des quatre coins de la France et, pourquoi pas, d'ailleurs. Avec le temps, il connaîtra vos goûts et vos attentes, et saura vous aiguiller de manière de plus en plus fine vers des vins qui vous ressemblent.

Lorsque vous aurez pris une certaine assurance, vous ne serez plus obligé de vous reposer uniquement sur lui et vous pourrez tenter quelques aventures en solo. Jetez un coup d'œil aux catalogues des salles des ventes qui peuvent parfois recéler des affaires intéressantes, allez voir des producteurs bien établis directement, rendez-vous sur les lieux des grands événements viticoles tels que les festivals régionaux, tentez éventuellement votre chance sur Internet... Vous pourrez trouver de très bons vins, voire des grands crus dans vos prix sans le moindre problème, si vous avez l'œil et le palais un tant soit peu aiguisés et que vous connaissez bien vos millésimes.

Acheter son vin
sans compter

*S*i votre budget vous permet de faire des folies, ou tout au moins de payer une bouteille en moyenne 50 euros, à vous les grands crus et les vins les plus fins ! Là encore, le caviste est recommandé pour débuter, car il va véritablement éduquer votre goût et vous donner des notions utiles par la suite. Une formation en œnologie pourrait également vous faire le plus grand bien et vous permettre de découvrir d'excellents vins dont vous ne soupçonnez peut-être pas les qualités.

Une fois que vous vous sentirez prêt à voler de vos propres ailes, vous pourrez allégrement courir les ventes aux enchères, les caves renommées, faire votre choix sur Internet, car c'est dans cette gamme de prix que se situent finalement les meilleures affaires. Certes, c'est cher, mais en comparaison de la valeur véritable des bouteilles, on obtient souvent les meilleures ristournes lorsqu'on dispose de ce type de budget.

C'est surtout le meilleur moyen d'avoir une cave variée, car les spiritueux et autres champagnes n'existent pas à moins de 10 euros la bouteille. Plus les prix montent, plus on a le choix dans chaque type de vins, mais également le choix des types de vins. L'idéal est de disposer d'une large sélection, mais aussi de varier les prix en ayant de bons petits vins de garde et quelques belles bouteilles pour les grandes occasions.

Les salles des ventes :
les enchères sont ouvertes

*S*i vous connaissez vos classiques et vous savez quels sont les bons millésimes, les ventes aux enchères peuvent être un excellent moyen de faire des affaires. Il s'agit de collections privées qui sont proposées sous forme de lots par quelques grandes maisons qui ont développé cette spécialité, comme Drouot, Christie's, Tajan, Lombrail-Teucquam ou Artcurial, et d'autres, moins connues, en province, voire sur Internet, sur quelques sites dédiés.

Sous le contrôle d'un commissaire-priseur, la vente se déroulera comme n'importe quelle enchère d'art ou de meubles : à l'avance, les bouteilles en vente seront indiquées dans le catalogue de la maison. Certains de ces catalogues pouvant être consultés sur Internet, vous pourrez ainsi savoir quand vous déplacer et si la vente peut avoir un intérêt pour vous. Une fois sur place, du calme : au prix de votre enchère, n'oubliez jamais d'ajouter les frais légaux, qui vont de 15 à 20 %, et la TVA de 19,6 %.

Parfois, on va pouvoir mettre la main sur des bouteilles magnifiques en payant à peine 50 % de leur valeur, mais ne rêvez pas non plus : vous ne serez pas le seul en course, et les enchères grimpent vite, surtout s'il s'agit effectivement de millésimes rares et recherchés. Les records de prix des vins les plus chers du monde ont toujours été atteints en salle de vente, généralement à Paris, Londres ou New York. Autre bémol : si vous n'êtes pas très connaisseur, ce n'est pas le meilleur moyen de commencer votre cave, car, lors d'une vente aux enchères, on achète à l'aveugle : pas question de goûter le vin !

Du taste-vin au crachoir : les accessoires de dégustation

*P*our optimiser une dégustation de vins, certains accessoires utilisés par les sommeliers et œnologues pourront vous être utiles. Ils n'ont rien de gadgets. Ils viennent véritablement magnifier l'expérience et vous permettront d'apprécier au mieux les singularités de chaque cru.

Parmi ces accessoires, la tasse de dégustation ou taste-vin est l'un des plus anciens et les plus nobles. Ce petit récipient peu profond à la contenance d'une lampée servait autrefois à goûter les crus, mais, après la Révolution, l'objet est peu à peu tombé en désuétude. On n'en fabrique plus aujourd'hui ; toutefois, certains sommeliers ou œnologues réputés possèdent une de ces tasses antiques et l'utilisent au quotidien.

La carafe a en revanche gardé toute son importance à travers les âges. Forme évoluée du pichet, en verre soufflé ou en cristal, elle est apparue comme nous la connaissons aujourd'hui au quinzième siècle et sert principalement à faire décanter le vin. Cette étape est importante s'il a besoin d'être aéré avant la dégustation ou s'il présente un dépôt dû à son âge.

Si vous vous lancez dans de longues et fréquentes dégustations, comme c'est le cas de certains professionnels, peut-être sera-t-il judicieux d'avoir recours à un crachoir afin de ne pas voir des éléphants roses et de pouvoir apprécier les saveurs de chaque vin même après le quinzième ou le vingtième cru de la journée.

On en trouve aujourd'hui des petits et élégants, individuels, que vous pourrez emporter facilement.

Enfin, les *drip stoppers*, qui retiennent la moindre goutte pour ne rien perdre des grands crus, les thermomètres plongeurs, les bouchons haute technologie, les pompes à vide pour que vos vins ne s'oxydent pas en bouteille une fois ouverts sont les grandes nouveautés qui vous faciliteront la vie et le plaisir du vin.

À chaque vin son verre

*D*e la flûte à champagne au verre à bordeaux en passant par les tout nouveaux verres à dégustation, il existe une multitude de contenants pour le vin, et ce n'est pas simplement une question d'esthétique. Chacun d'entre eux a une forme bien particulière qui va directement influencer les perceptions olfactives et gustatives que l'on aura du vin.

Tout d'abord, la largeur, la rondeur, la profondeur du verre vont avoir des effets sur le vin lui-même : plus son ouverture est large, plus le vin sera au contact avec l'air et s'oxydera. C'est ce qui est recherché lorsqu'on déguste un bordeaux dont les tanins s'assouplissent en s'oxygénant. Par conséquent, le verre à bordeaux possède une plus large ouverture que le verre à bourgogne.

Le verre à bourgogne est plus arrondi pour concentrer les arômes et tend à limiter l'oxydation avec une ouverture plus restreinte. Mais ce n'est pas tout. La forme du verre a un autre rôle : selon son évasement, sa finesse, le vin ne sera pas dirigé de la même manière dans la bouche de celui qui le porte à ses lèvres. Selon qu'il sera perçu en premier lieu à l'avant ou à l'arrière de la langue, la sensation sera bien différente.

En allant à ce point dans le détail, on peut devenir un adepte de la science du verre et finir par en posséder autant que l'on a de vins. Ne serait-ce que pour les blancs, de la fine flûte à champagne qui retient les bulles au verre à chardonnay rond et large en passant par l'étroit verre à chablis, il en existe des centaines.

Si vous ne souhaitez pas vous lancer dans une collection de verres, vous pouvez opter pour le verre ISO 3591, improprement appelé INAO, le plus universel, reconnu par le fameux Institut national des appellations d'origine depuis le début des années 1970. Même si à l'usage il n'est pas le plus précis ou le meilleur exhausteur de saveurs, d'arômes et de goûts, il reste une valeur sûre.

| Vins d'Alsace | Beaujolais nouveau | Bourgogne et Bordeaux blancs | Champagnes millésimés | Champagnes |

| Grands Bordeaux | Grands Bourgognes | Vins rouges et blancs concentrés | Vins blancs fruités | Vins rosés |

Le monde fascinant
des tire-bouchons

Outil indispensable qui équipe toutes nos cuisines et même nos couteaux suisses, le tire-bouchon est en fait assez méconnu du grand public. Par exemple, savez-vous d'où il vient ? Contre toute attente, ce seraient les Anglais, grands amateurs de vin, qui l'auraient inventé. Le tout premier modèle aurait vu le jour à la première moitié du dix-septième siècle. Par la suite, les tire-bouchons seront fabriqués par les armuriers membres des guildes de la Cité de Londres.

Durant deux siècles, différentes formes vont être mises au point. Certaines sont toujours utilisées de nos jours. Le premier brevet fut déposé par l'Anglais Samuel Henshall en 1795. Il s'agit d'un modèle simple, à poignée et à mèche, avec une rondelle métallique faisant office de cran d'arrêt et permettant de briser la cire qui scellait le bouchon.

De cette date au début du vingtième siècle, plus de 300 brevets de tire-bouchons ont été déposés, ce qui laisse imaginer la diversité de formes et de technologies possibles en la matière.

Aujourd'hui, les modèles les plus courants sont le tire-bouchon simple, à poignée, avec une mèche pleine ou une mèche dite « en queue de cochon », qui est creuse et abîme moins les bouchons, le tire-bouchon à vis, le limonadier et les couteaux de sommelier, qui disposent de crans d'appui, et enfin le tire-bouchon à levier.

Les moins chers ne valent presque rien, mais il est possible d'entrer dans le très haut de gamme avec des formes élaborées et des matériaux précieux. Ainsi, le tire-bouchon de prestige de la marque de design néerlandaise Sveid, au mécanisme complexe réalisé en or massif et titane, voire en platine, est fabriqué sur commande pour un prix d'appel de 50 000 euros. Gloups !

Les œnographiles :
les fondus des étiquettes

Vous ne souhaiterez certainement pas conserver toutes vos bouteilles vides, familièrement appelées « cadavres », mais certains collectionneurs aiment garder les étiquettes de leurs bouteilles favorites et notamment des grands crus. On appelle cela l'œnographilie. Les étiquettes étant très variées selon les époques, les régions, les types de vin et les domaines, il est en effet passionnant de les réunir au sein d'une collection.

Certaines maisons font d'ailleurs de leurs étiquettes de véritables objets d'art, tel le Château Mouton-Rothschild qui a fait appel aux plus grands artistes pour les décorer chaque année différemment. Elles deviennent ainsi des pièces recherchées, des éditions limitées en quelque sorte, que les œnographiles s'arrachent.

L'étiquette est collée sur la bouteille suivant deux techniques : certaines sont autoadhésives, d'autres sont fixées à l'aide de colle. On les décollera de manière différente dans chaque cas. Pour les étiquettes collées, il suffit de dissoudre la colle pour un décollage facile. L'eau froide est une solution, mais l'eau chaude opérera encore plus vite. Vous n'aurez plus ensuite qu'à la laisser sécher à plat.

Les étiquettes autoadhésives, de plus en plus courantes, ne doivent surtout pas tremper, car elles se déchireraient. Il faut remplir votre bouteille vide d'eau très chaude, laisser la chaleur se diffuser à travers le verre et soulever un coin de l'étiquette avec une fine lame de couteau, voire une lamc de rasoir. Vous pourrez ensuite tirer lentement pour décoller entièrement l'étiquette.

À votre santé !

« *B*euvez toujours, vous ne mourrez jamais », écrivait François Rabelais. Depuis que le vin existe, on considère qu'il a des vertus pour la santé. La médecine grecque antique le recommandait. Ainsi, le célèbre Hippocrate écrivait : « *Le vin est une chose merveilleusement appropriée à l'homme si, en santé comme en maladie, on l'administre avec à-propos et juste mesure, suivant la constitution individuelle.* »

On ne cesse d'ailleurs de vanter les mérites du régime méditerranéen, hérité des Grecs et Romains, source de longévité, en insistant sur le fait qu'il contient du vin rouge au quotidien. Dès le Moyen-Âge, on l'érigeait en exemple à suivre pour mener une vie longue, saine et heureuse. Encore aujourd'hui, nombre de médecins et scientifiques défendent l'idée selon laquelle le vin serait en grande partie à l'origine de la longévité des peuples du pourtour méditerranéen, car il protégerait des maladies cardiovasculaires.

Mais cette théorie est largement décriée. En effet, il semblerait que la principale raison de la bonne santé de ces populations soit leur alimentation riche en fruits, légumes et huile d'olive, et pauvre en graisses animales.

En effet, si on regarde d'autres pays à la grande espérance de vie comme le Japon, on voit qu'ils consomment très peu de viande et beaucoup de poisson et de produits végétaux. Ce serait là la véritable clé. Quoi qu'il en soit, en attendant que les effets du vin sur la santé soient réellement déterminés, on continue de trinquer en lançant un cordial : « Santé ! » Et si une consommation excessive peut avoir de terribles conséquences, boire du vin modérément ne saurait vous faire de mal et pourrait peut-être même vous faire du bien.

Selon les croyances populaires et à en juger par l'éternelle jeunesse des peuples latins, le vin est bon pour la santé. Maintenant que nous avons les moyens scientifiques de vérifier cette affirmation, penchons-nous sur les résultats qu'ont donnés différentes études menées sur les bienfaits du vin. La source d'effets positifs serait les tanins du vin rouge, qui contiennent une forte concentration de polyphénols issus des pépins, du jus et de la peau des grappes de raisin. Ces substances chimiques, présentes dans la composition de tous les végétaux comme les fruits, les légumes, ainsi que le thé, ont aussi des propriétés bénéfiques intéressantes pour l'organisme : ce sont de puissants antioxydants.

Au cours de la vinification, les polyphénols sont extrêmement bien conservés malgré leur fragilité. Ainsi, le vin en serait particulièrement chargé. De plus, l'alcool favoriserait leur absorption, habituellement difficile, en les solubilisant. « *C'est avec un taux d'alcool de 10 % que l'on obtient l'absorption maximale de ces polyphénols* », explique Ludovic Drouet, chef du service Hématologie biologique de l'hôpital Lariboisière et président du comité scientifique Vin et Santé de l'Onivins.

Mais les effets positifs des polyphénols sur la santé n'ont toujours pas été démontrés et, bien que cette idée soit séduisante, rien ne prouve encore, à l'heure actuelle, que le vin soit bénéfique pour l'organisme. Le débat reste donc entier.

Du privé au public :
le cadre légal

*E*n France, il n'est pas légal de boire d'alcool avant l'âge de 18 ans. Dans les bars, cafés et restaurants, on se doit de respecter cette limite. Le cas échéant, on s'expose à des poursuites judiciaires et de lourdes conséquences. Pourtant, en famille et entre amis, cet âge minimum n'est jamais véritablement pris en compte. On a au contraire tendance à croire que le palais s'éduque et qu'une initiation aux plaisirs de la table ne saurait faire l'impasse sur le vin.

Finalement, tant que l'on reste dans le cadre privé, on fait à peu près ce que l'on veut. Dès que l'on passe dans le domaine public, tout change. Le cadre légal est particulièrement défini et appliqué au Code de la route. La limite légale est de 0,5 gramme d'alcool par litre de sang. Les contrôles d'alcoolémie sont fréquents le long des routes et aux sorties d'autoroute.

À l'aide d'un éthylotest, on s'assurera que le conducteur est dans la norme. Si son taux d'alcool est compris entre 0,5 et 0,8 gramme par litre de sang, il risque une amende forfaitaire de 135 euros et la perte de 6 points du permis de conduire. En cas de comparution devant le tribunal, il risque également une suspension du permis de conduire. Si son taux d'alcool est supérieur à 0,8 gramme par litre de sang, il risque d'être puni de 2 ans d'emprisonnement et de 4500 euros d'amende. Ce délit donne lieu à la perte de six points du permis de conduire. Le tribunal peut en outre décider de lui infliger une suspension du permis de conduire pour une durée pouvant atteindre trois ans.

Quand s'arrêter ?

*V*oici une question à laquelle il est difficile de répondre, car cela dépendra de l'individu, de sa taille, sa morphologie, sa condition physique. La limite conseillée par le ministère de la Santé a été fixée arbitrairement à deux verres par jour et par personne, mais les choses ne sont pas toujours aussi simples.

Il y a toutefois des précautions de base à respecter. Tout d'abord, s'il y a une période où l'on doit s'abstenir, c'est bien sûr, pour les femmes, lors de la grossesse. Il est impératif de cesser toute consommation d'alcool jusqu'au terme.

En dehors de ces circonstances particulières, certains signes vous permettront de savoir quel est le bon moment pour freiner votre goût du vin. Lorsque vous commencez à avoir chaud et à être gai, il est déjà temps de mettre la pédale douce ou vous finirez totalement ivre, et gare à la gueule de bois !

Sur le long terme, on peut facilement identifier une consommation excessive grâce à un signe qui ne trompe pas : la dépendance. Avez-vous des difficultés à passer ne serait-ce qu'une journée sans boire de vin ? Si oui, c'est mauvais signe. L'alcool doit en effet rester un plaisir et non un besoin. Avez-vous souvent tendance à boire seul ? Si c'est le cas, rappelez-vous que le vin est la boisson conviviale par excellence et qu'une bonne bouteille est toujours meilleure lorsqu'on la partage.

Quelle que soit votre carrure, sachez qu'une bouteille par jour, c'est trop. À trop boire de vin, on finit par ne plus l'apprécier.

Aussi, demandez-vous si vous buvez pour le plaisir des arômes ou si vous avez tendance à rechercher l'ivresse. Le sentiment de gaieté qui vient en buvant peut être fort agréable, mais ne doit jamais devenir votre motivation première. Alors, consommez avec modération et savourez votre vin, dégustez-le, quitte à opter pour des bouteilles plus chères qui seront débouchées uniquement pour les grandes occasions.

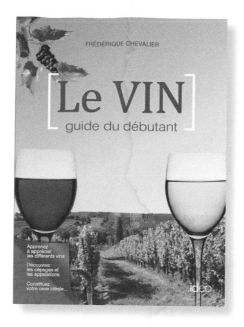

Le VIN
guide du débutant

L'univers du vin est fascinant, d'une richesse unique. Pour comprendre ce monde et ses plaisirs, inutile d'être un expert chevronné ou de faire partie d'une pseudo élite.

Quelques connaissances, quelques grands repères, suffisent pour apprendre à déguster… et apprécier !
Si vous êtes débutant, ce guide vous apportera les bases indispensables :

* découvrez les différents cépages et appellations en France et à l'étranger
* apprenez à trouver votre style de vin et à reconnaître les bons crus - initiez-vous à la dégustation à l'œil, au nez et en bouche
* concevez votre cave idéale
* apprenez à servir les vins et à les marier avec les différents plats…

Avec ce guide, vous avez, simplement, à portée de main toutes les informations nécessaires pour devenir un véritable épicurien du vin. A la vôtre !

**Toutes les clés pour découvrir
le monde fascinant du vin.**

ISBN : 978-2-8246-0196-0

http://www.city-editions.com/IDEO